LARGE PRINT

CROSSWORDS

OVER 100 PUZZLES

ARCTURUS

ARCTURUS

This edition published in 2012 by Arcturus Publishing Limited
26/27 Bickels Yard, 151–153 Bermondsey Street,
London SE1 3HA

Copyright © 2012 Arcturus Publishing Limited
Puzzles copyright © 2012 Puzzle Press Ltd

ISBN: 978-1-78212-029-2
AD002580EN

Printed in Malaysia

CONTNETS

1

Across

1 Eight-legged creature (6)
5 Loud noise (6)
8 Blood vessel (4)
9 In short supply (6)
10 Cleaner of chimneys (5)
11 Cook in an oven (4)
12 Food used in a trap (4)
13 European country (6)
15 Becomes firm (4)
17 Fully developed (4)
19 Positioned (6)
20 Contest of speed (4)
21 Face covering (4)
22 Emergence (5)
24 Planetary paths (6)
25 Squad (4)
26 Gave a grin (6)
27 Large, edible bird (6)

Down

2 Make ready (7)
3 Closely crowded together (5)
4 Fury (4)
5 Answer (8)
6 Sleeping room (7)
7 Entertainment venue (7)
14 Became fully aware of (8)
15 Lacking in playfulness (7)
16 Out of the ordinary (7)
18 Corridor (7)
21 Measuring device (5)
23 Table condiment (4)

2

Across

1 One dozen (6)
7 In accordance with the time of year (8)
8 Large body of water (3)
9 Rectangle with four equal sides (6)
10 Pavement (4)
11 Powdery (5)
13 To a greater extent (7)
15 Imaginary line around the Earth (7)
17 Organ enclosed within the skull (5)
21 Sleeping places (4)
22 Instrument used in an attack (6)
23 Make a knot (3)
24 Bear in mind (8)
25 Most secure (6)

Down

1 Examined (6)
2 Rubs out, obliterates (6)
3 Literary composition (5)
4 Exercising caution (7)
5 Machine for performing calculations automatically (8)
6 Rook in the game of chess (6)
12 Move from one place to another (8)
14 Spiders' structures (7)
16 Waits in a line (6)
18 Uncle's wife (6)
19 Most recent (6)
20 Bristles (5)

3

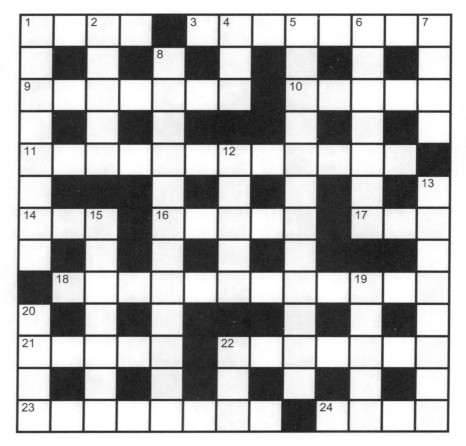

Across

1 Chances (4)
3 Put a ring around (8)
9 Overhead surface of a room (7)
10 Pursue (5)
11 Picture of yourself created by yourself (4-8)
14 Electrical resistance unit (3)
16 Paved area which adjoins a house (5)
17 Foot digit (3)
18 First half of the Christian Bible (3,9)
21 Blossom (5)
22 Workplace where people are very busy (7)
23 Informal photograph (8)
24 Professional charges (4)

Down

1 Specified event (8)
2 Bore a hole (5)
4 Overworked horse (3)
5 Formed or united into a whole (12)
6 Two-wheeled horse-drawn battle vehicle (7)
7 Divisible by two (4)
8 Thick-skinned herbivorous animal of Africa (12)
12 Customary practices (5)
13 Constantly in motion (8)
15 Country, capital Chisinau (7)
19 Deport from a country (5)
20 Wading bird of warm and tropical climates (4)
22 Hoot with derision (3)

4

Across

1 Pulse vegetables (5)
4 Set up for use (7)
8 Gammon (3)
9 Ms Minogue (5)
10 Precise (5)
11 Armoured seagoing vessel, used in war (10)
13 Move unsteadily, with a rocking motion (6)
15 Characteristic pronunciation (6)
18 Production of electricity (10)
22 Sources (5)
23 Ramp (5)
24 Sense of self (3)
25 Of the stars (7)
26 Demands (5)

Down

1 Plastic commonly used for saucepan handles (8)
2 Remark made spontaneously (2-3)
3 Enfold (7)
4 African antelope with ridged curved horns (6)
5 Stalks of a plant (5)
6 Extreme greed for material wealth (7)
7 Overdue (4)
12 First courses (8)
14 Ugly object (7)
16 Deep red (7)
17 Sponsor, investor (6)
19 Painting stand (5)
20 Lasso (5)
21 Globes (4)

5

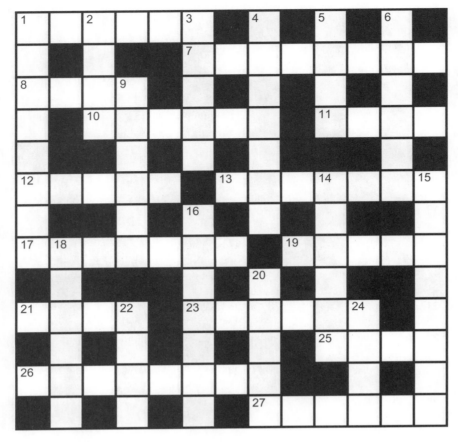

Across

1 Country, capital Belgrade (6)
7 T-shaped cleaning implement with a rubber edge across the top (8)
8 Exclude (4)
10 Song or hymn of mourning (6)
11 Eject fluid from the mouth (4)
12 Group of warships (5)
13 Duplicates (7)
17 Make free from confusion or ambiguity (4,3)
19 Expect (5)
21 Makes a wager (4)
23 Lines on which musical notes are written (6)
25 Dance party that lasts all night (4)
26 Turtle's shell (8)
27 Plot, plan (6)

Down

1 Exhibitionists (4-4)
2 Complain bitterly (4)
3 Anaemic-looking (5)
4 Sale of goods in lots (7)
5 Lairs (4)
6 Next to (6)
9 Flair (6)
14 Water tanker (6)
15 Scenery intended to stand alone (3,5)
16 Day of the week (7)
18 In a single direction (3-3)
20 Earnings (5)
22 Make very hot and dry (4)
24 Wise man (4)

6

Across

1 Sad beyond comforting (12)

9 Map book (5)

10 Headdress worn by a bishop (5)

11 Sound made by a dove (3)

12 Colour slightly (5)

13 Place for young plants (7)

14 Frightened (6)

16 Disarrange or rumple (6)

20 Circus performer (7)

22 Conclude by reasoning (5)

24 Went faster (3)

25 Adjust finely (5)

26 Make speeches (5)

27 Till which calculates a bill in a shop (4,8)

Down

2 Synthetic fabric (5)

3 Lewd (7)

4 One sixtieth of a minute (6)

5 Madagascan primate (5)

6 Swimmers (7)

7 Opponent (5)

8 Prickly desert plant (6)

15 Stuffy (atmosphere) (7)

17 Presaging ill-fortune (7)

18 Deserved by one's efforts (6)

19 Twine (6)

20 Trick (5)

21 Bread-maker (5)

23 Crystal of snow (5)

7

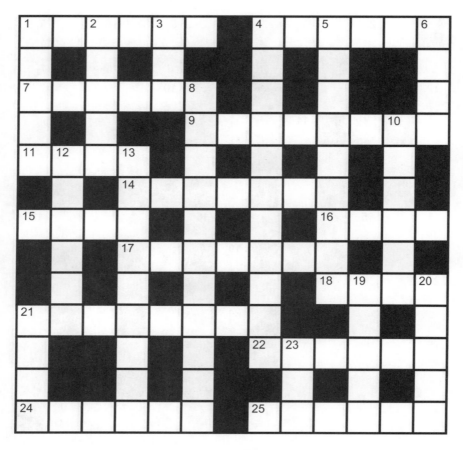

Across

1 Taken dishonestly (6)

4 Division of Ireland (6)

7 Rain channel (6)

9 Physical activity (8)

11 Large, edible marine fish (4)

14 Perforates (7)

15 Shed tears (4)

16 Canter (4)

17 Japanese paper-folding art (7)

18 Association (4)

21 Fixing firmly in place (8)

22 Former monetary unit of Portugal (6)

24 Shelters from light (6)

25 Niche or alcove (6)

Down

1 Ability to see (5)

2 Frequently (5)

3 Augment (3)

4 Ask for too little money (11)

5 Expressing ridicule that wounds (9)

6 Eastern staple foodstuff (4)

8 Happening again and again, tediously (11)

10 Popular number puzzle (6)

12 Of value (6)

13 Selected for a job (9)

19 Parasitic insect (5)

20 Footwear items (5)

21 Overtake (4)

23 Observe (3)

8

Across

1 Banded with pieces of contrasting colour (7)
8 Copy (7)
9 In the latest fashion (1,2,4)
10 Starter course of a meal (6)
12 Headgear for a horse (6)
13 Retail store serving a sparsely populated region (7,4)
17 Receive willingly (6)
20 Motor (6)
23 Resounding (7)
24 Lockjaw (7)
25 Pupil (7)

Down

1 Weighing machine (6)
2 Nuclear plant (7)
3 Means of communication (abbr) (5)
4 Depicted (4)
5 Long pointed weapon (5)
6 Area where animals graze (5)
7 Graceful, dramatic dance routine (6)
11 Have actual being (5)
12 Brass instrument without valves (5)
14 Self-annihilation (7)
15 Soft decayed area in a tooth (6)
16 Tallness (6)
18 Divisions of a dollar (5)
19 Pointed projection on a fork (5)
21 Prime minister of India from 1947 to 1964 (5)
22 Not as much (4)

9

Across

4 World's largest ocean (7)
8 Adult insect (5)
9 Place in a different order (9)
10 Fillip, incentive (5)
11 Angular distance above the horizon (9)
13 Want strongly (6)
16 Rich and fashionable people who travel widely for pleasure (3,3)
20 Conjecturing (9)
23 Submerged ridges of coral (5)
24 Native Australian (9)
25 Dodge (5)
26 Double-barrelled firearm (7)

Down

1 Break up (a group, company, etc) (7)
2 Restraining straps (7)
3 Furze (5)
4 Participant in a game (6)
5 Savage and excessive butchery (7)
6 Mushrooms, toadstools, etc (5)
7 Remove dirt (5)
12 Lyrical poem (3)
14 Large flightless bird (3)
15 Disturbing the peace, going wild (7)
17 Quite a few (7)
18 1996 film with Helen Hunt and Bill Paxton (7)
19 Fawning dependant, underling (6)
20 Chairs (5)
21 Picture taken by a camera (abbr) (5)
22 Rapacity (5)

Across
1 Protecting from light (7)
5 Gasps for breath (5)
8 Direct (3)
9 Performance of a musical composition (9)
10 Devoutly religious (5)
12 Relieve (4)
13 Pester (6)
15 Was in debt to (4)
17 Stride (4)
20 Overabundance (6)
22 Formal offers at an auction (4)
23 Harden to (5)
25 Thoughtlessly hasty (9)
26 Beard found on a bract of grass (3)
27 Sleazy or shabby (5)
28 Using frugally or carefully (7)

Down
1 Hair cleanser (7)
2 Opening to which a sleeve can be attached (7)
3 Sudden arrival or entry of something (6)
4 Association of criminals (4)
6 Female stage performer (7)
7 Surface burn (5)
11 Nocturnal flying mammals (4)
14 Curved gateway (4)
16 Come down (7)
18 Huge destructive wave (7)
19 Former German coin (7)
21 Afternoon nap (6)
22 State of extreme happiness (5)
24 Head honcho (4)

11

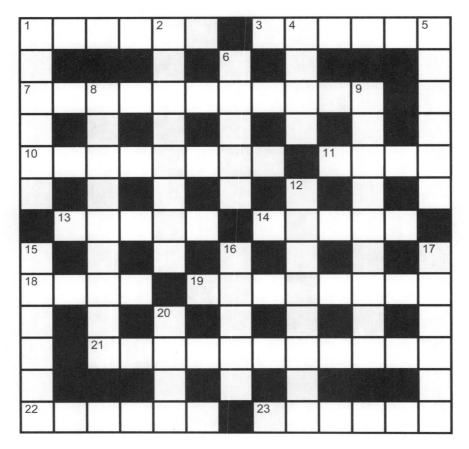

Across

1 Mother superior (6)

3 Frank and direct (6)

7 Caused to feel uneasy and self-conscious (11)

10 Driven insane (8)

11 Small area of land (4)

13 Papa (5)

14 Extension to a main building (5)

18 Protective covering of a building (4)

19 Deliberate act of destruction or disruption (8)

21 Happening without apparent external cause (11)

22 Unborn baby (6)

23 Fabric for a painting (6)

Down

1 Order of business (6)

2 Song sung beneath a lady's window (8)

4 As well (4)

5 Stabbing weapon (6)

6 Tall tower referred to in the Bible (5)

8 Primitive in customs and culture (9)

9 Bold outlaw (9)

12 Sleep disorder (8)

15 Wrinkle (6)

16 Coat with fat during cooking (5)

17 Against (6)

20 Australian term for a young kangaroo (4)

12

Across

1 At an angle (8)

5 Boys (4)

8 Noteworthy scarcity (8)

10 African country (7)

11 Wood-turning tool (5)

12 Insect with a great many legs (9)

15 Exact copy (9)

18 Old Testament mother-in-law of Ruth (5)

19 More offensive (7)

22 Lampoon, ridicule (8)

23 Long strip of fabric (4)

24 Moved or drew apart (8)

Down

1 Ancient rolled document (6)

2 Landing place for aeroplanes (8)

3 Bicycle for two (6)

4 Bird's construction (4)

6 Top cards (4)

7 Fodder harvested while green (6)

9 Brightly shining (6)

13 Twelfths of a foot (6)

14 Taking pleasure (8)

15 Moves to music (6)

16 Whole (6)

17 Connection between the con-rod and crankshaft in an internal combustion engine (3,3)

20 Pouches (4)

21 Hindu princess (4)

13

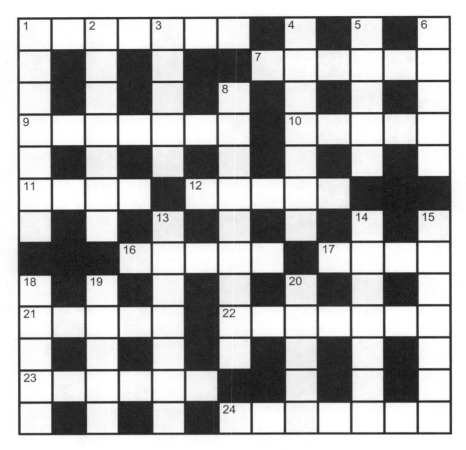

Across

1 Electric motor for bringing an engine to life (7)
7 African desert (6)
9 Alphabetic characters (7)
10 Prospect (5)
11 Move very quickly (4)
12 Tired of the world (5)
16 Custom (5)
17 Hollow metal device which rings when struck (4)
21 Cause to be embarrassed (5)
22 One of three children born at the same time (7)
23 Loophole (6)
24 Not devious (7)

Down

1 One who cuts or beautifies hair (7)
2 Lacking professional skill (7)
3 Photocopier ink (5)
4 Device for opening several locks (7)
5 Avid (5)
6 Projecting edge of a roof (5)
8 Relate (9)
13 Bank clerk (7)
14 One who lives in solitude (7)
15 Dresses (7)
18 Widely known and esteemed (5)
19 Identification tab (5)
20 Colossus (5)

14

Across

1 Sikh headdress (6)

4 New World vulture (6)

9 Betrayer of one's country (7)

10 Print anew (7)

11 Go in (5)

12 Parasitic arachnids (5)

14 Thin pancake (5)

15 Ballroom dance of Latin American origin (5)

17 Relative magnitude (5)

18 Everlasting (7)

20 Resembling a lion (7)

21 Drool (6)

22 Give in, as to influence or pressure (6)

Down

1 Shred (6)

2 Response (8)

3 On the move (5)

5 Avert (7)

6 Platform (4)

7 Passengers (6)

8 In a mistaken manner (11)

13 Having the ability or power to construct (8)

14 Exclusive circle of people with a common purpose (7)

15 Dissertation (6)

16 Go back to a previous state (6)

17 Rock (5)

19 Female operatic star (4)

15

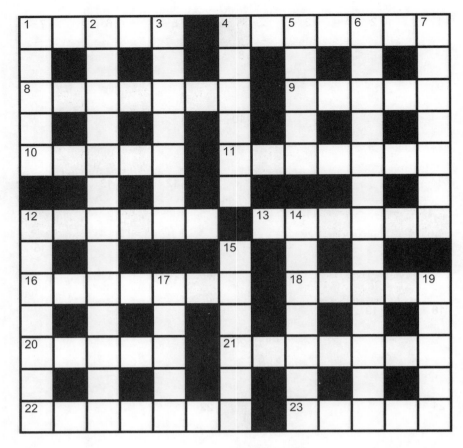

Across

1 Prices (5)
4 Alfresco meals (7)
8 Attributing responsibility to (7)
9 Cider fruit (5)
10 Growing older (5)
11 Disagree (7)
12 Impede (6)
13 Easier, less restricting (6)
16 Local speech (7)
18 Thread for cleaning between the teeth (5)
20 Exceed (5)
21 Shortness (7)
22 Small fish (7)
23 Musical pace (5)

Down

1 Venomous snake (5)
2 Person in charge of a railway stop (13)
3 Coarse beach gravel of small stones and pebbles (7)
4 Asian temple (6)
5 Pandemonium (5)
6 Style of painting associated with the late 19th century (13)
7 Be uncomfortably hot (7)
12 Grotesque (7)
14 Eccentric, unconventional (7)
15 Building for housing horses (6)
17 Species of bacteria which can threaten food safety (1,4)
19 Authoritative declaration (3-2)

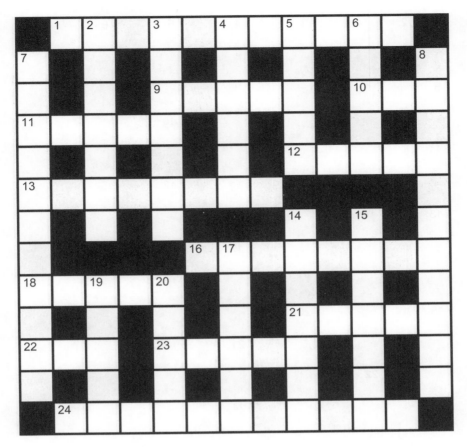

Across

1 Curved section of seats in a theatre or opera house (5,6)

9 Protective garment (5)

10 In the past (3)

11 Burn with steam (5)

12 Asian water lily (5)

13 Firm in purpose or belief (8)

16 Early Christian church (8)

18 Snares (5)

21 Hindu religious teacher (5)

22 Strange (3)

23 Name (5)

24 Digitally encoded recording, smaller than a phonograph record (7,4)

Down

2 Regress (7)

3 Wrap (an infant) tightly in strips of cloth (7)

4 Floor covering (6)

5 Relating to the kidneys (5)

6 Slightest (5)

7 Blockage (11)

8 Plant grown for its pungent, edible root (11)

14 Oil extracted from the flax plant (7)

15 Illegally seizes a vehicle in transit (7)

17 Acid found in vinegar (6)

19 Relating to sound (5)

20 Assemble (3,2)

17

Across

1 Vehicles in motion (7)
6 Animal kept for companionship (3)
8 Hawaiian greeting (5)
9 Sharp-edged tooth (7)
10 Rod which forms the body of an arrow (5)
11 Placed very near together (5-3)
13 Thoroughfare (6)
15 Soft and mild (6)
18 Ornamental design in wood (8)
19 Pair of parallel rails (5)
21 Move in a sinuous, or circular course (7)
22 Pound, pulse (5)
23 Column of light (3)
24 Equivalent word (7)

Down

2 Curl of hair (7)
3 Clasp (8)
4 Pitch dangerously to one side (6)
5 Deprivation (4)
6 Low wall along the edge of a roof (7)
7 Sauce served with fish (7)
12 Keep under control (8)
13 Colonist (7)
14 Monarchy (7)
16 To a great extent (7)
17 Small pieces of bread, for example (6)
20 Stone edge of a pavement (4)

18

Across

1 Person opposed to war (8)

5 Italian sports car manufacturer, ___ Romeo (4)

9 Island in the Mediterranean (7)

10 Paving stones (5)

11 Spreading out (10)

14 Hurt or upset (6)

15 Slight stinging sensation (6)

17 Flavour sensation that remains after eating or drinking (10)

20 Derive, evoke (5)

21 Mimic (7)

22 Location (4)

23 Conceited and self-centred people (8)

Down

1 Dark purplish-brown colour (4)

2 Birthday missive (4)

3 Lacking courage or boldness (5-7)

4 Reached the highest point of (6)

6 Natural inclinations (8)

7 Appointed to a post or duty (8)

8 Physician specialising in mental disorders (12)

12 Orators (8)

13 Regard with suspicion (8)

16 Cooking in an oven (6)

18 Flexible containers (4)

19 Rudolf ___, WWII Nazi leader (4)

19

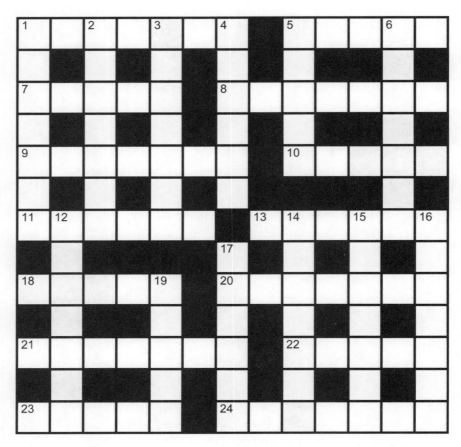

Across

1 Inquisitive (7)
5 Smelling of mould (5)
7 Determine the sum of (3,2)
8 Corroborate (7)
9 Flighty scatterbrained simpleton (slang) (7)
10 Calvin ___, fashion designer (5)
11 Pleasure obtained by inflicting harm on others (6)
13 Loan shark (6)
18 Fake, false (5)
20 Puts things in order (7)
21 Waterfall (7)
22 Outmoded (5)
23 Scoop out (5)
24 Whip used to inflict punishment (7)

Down

1 Short, curved sword (7)
2 No longer active in one's profession (7)
3 Tyrannise (7)
4 Withdraw from an organisation (6)
5 Capital of Belarus (5)
6 Rotary engine (7)
12 Pear-shaped fruit (7)
14 Person deemed to be despicable or contemptible (2-3-2)
15 Go back in (2-5)
16 Remainder (7)
17 Not if (6)
19 Person held in servitude (5)

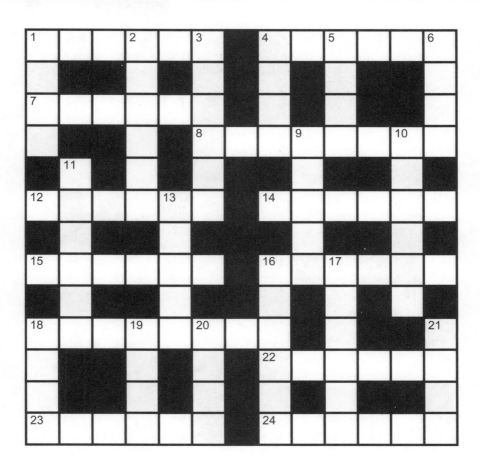

20

Across

1 French sweet blackcurrant liqueur (6)
4 Economise (6)
7 Herbivorous lizard of tropical America (6)
8 Unmelodious (8)
12 Foam used in hair styling (6)
14 Money chest (6)
15 Sullen or angry stare (6)
16 Method (6)
18 Tennis stroke that causes the ball to fall abruptly to the ground (4,4)
22 Arrow on a computer screen (6)
23 Daily news publications (6)
24 Wretchedness (6)

Down

1 Stylish (4)
2 Frightens (6)
3 Figurine (6)
4 Read quickly (4)
5 Small stream (4)
6 Church benches (4)
9 Hard black wood (5)
10 CD player (6)
11 US currency unit (6)
13 Casts off (5)
16 Humorous TV drama based on real life (coll) (6)
17 Trousers that end above the knee (6)
18 Slightly wet (4)
19 Posture assumed by models (4)
20 Belonging to that woman (4)
21 Land force (4)

21

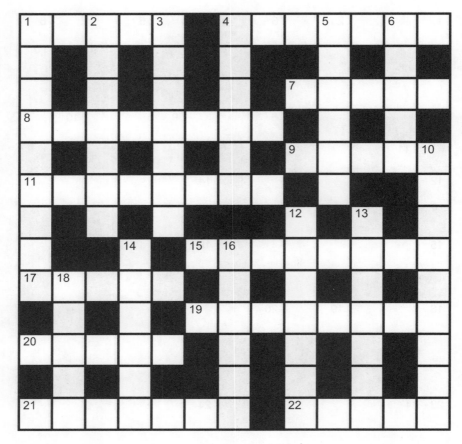

Across

1   Gesture involving the shoulders (5)
4   Variety of mandarin orange (7)
7   Maritime (5)
8   Worn to shreds (8)
9   Dog's lead (5)
11 Magician (8)
15 Unwarranted, without foundation (8)
17 Inexpensive (5)
19 Inflammation of a nerve accompanied by pain (8)
20 One stroke over par in golf (5)
21 Strategy (7)
22 Stony hillside (5)

Down

1   Data point (9)
2   Ecstasy (7)
3   Had one's revenge (3,4)
4   Involuntary expulsion of air from the nose (6)
5   Ocean floor (6)
6   Has in mind (5)
10 Item of equine footwear (9)
12 Lower someone's spirits (7)
13 Mythical being, half man and half horse (7)
14 Dormant (6)
16 Rectifies (6)
18 Disorderly outburst (3-2)

22

Across

1 Sun with the celestial bodies that revolve around it (5,6)

7 Change, amendment (8)

8 Thought (4)

9 Mythical monster said to live in watery places like swamps (6)

11 Arm covering (6)

13 Construct (5)

14 Journal (5)

17 Launch an attack on (6)

20 Cotton fabric with a shiny finish (6)

22 Public passenger vehicle (4)

23 US state, capital Richmond (8)

24 Marginal resources for existence (11)

Down

1 Copyist (6)

2 Cordiality (5)

3 Accidentally slid or fell (7)

4 Air cavity in the skull (5)

5 Leave or strike out (5)

6 Bordeaux wine (6)

10 Words used to refer to people, places or objects (5)

12 Nest of a bird of prey (5)

14 Arid regions of the world (7)

15 Cardboard drink-container (6)

16 Enclose in (6)

18 Farewell (5)

19 Has existence (5)

21 Banal (5)

23

Across

1 Fête (4)
3 Carves into thin pieces (6,2)
9 Driver who obstructs others (4,3)
10 Courage (5)
11 Panic (5)
12 Surgeon's pincers (7)
13 Damsel (6)
15 Volcano cavity (6)
17 Greek goddess of the hunt (7)
18 Shout, as if with joy or enthusiasm (5)
20 Nigerian city (5)
21 Type of long-grained rice (7)
22 Tooth on the rim of gearwheel (8)
23 Sturdy upright pole (4)

Down

1 Rubella (6,7)
2 South American animal (5)
4 Exit a computer (3,3)
5 With the order reversed, perversely (12)
6 Glut, excess (7)
7 Small area on the skin where an artery can be pushed against a bone to inhibit bleeding (8,5)
8 Instrumental entertainment played by a small ensemble (7,5)
14 Whole number (7)
16 Fit for service, functional (6)
19 Largest city in Nebraska, USA (5)

24

Across

1 Any of various small breeds of fowl (6)

7 Cure-all (7)

8 Design made of small pieces of coloured stone (6)

10 Frenzy (8)

11 Tenant (6)

12 Strong black coffee (8)

16 Small, slender long-tailed parrot (8)

18 Aid (6)

21 Dots in a text showing suppression of words (8)

23 Oriental tobacco pipe with a long flexible tube (6)

24 Common, not specific (7)

25 Hairdresser (6)

Down

2 Unaccompanied (5)

3 Common amphibians (5)

4 Coves, inlets (4)

5 Food provider (7)

6 Failing in what duty requires (6)

9 Dairy product (6)

11 Source of illumination (4)

13 Compound often used in agriculture and industry (6)

14 Building for drying hops (4)

15 Cupboard (7)

17 Friendly nations (6)

19 Trail left by an animal (5)

20 Disgrace (5)

22 Crust-like surface of a healing wound (4)

25

Across

1 County in southern England (8)
5 Contains the flow of (usually water) (4)
8 Empower (5)
9 Save from ruin or destruction (7)
10 Chemical used in reactions (7)
12 Thin skin at the base of a fingernail (7)
14 Muscular weakness caused by nerve damage (7)
16 Slim or small (7)
18 Sum of money paid in compensation (7)
19 Aqualung (5)
20 Estimate the value (4)
21 Filleted (8)

Down

1 Witnessed (4)
2 Very small (6)
3 Voted back into office (2-7)
4 Make certain of (6)
6 Rhododendron-like shrub (6)
7 Structures that provide protection from danger (8)
11 Person to whom an envelope is written (9)
12 Think about carefully (8)
13 Solitary man (6)
14 "Hey ____", said by a magician (6)
15 Military greeting (6)
17 Cuts wood with a serrated tool (4)

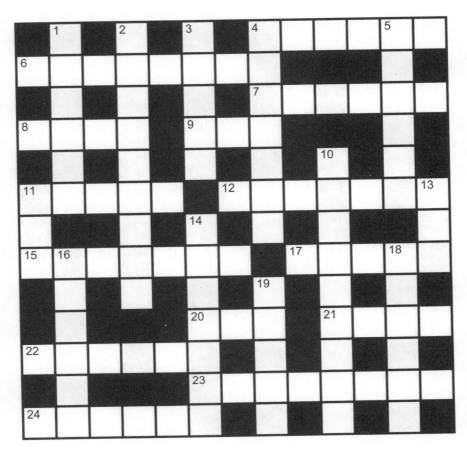

Across

4 Roof-supporting beam (6)

6 Produced by oneself, not mass manufactured (4-4)

7 Large brownish European flatfish (6)

8 Troublesome child (4)

9 Make a mistake (3)

11 Bouquet (5)

12 Baby of a North American native (7)

15 Locally prevalent (7)

17 Nautical unit of depth (5)

20 Not of the clergy (3)

21 Disease of the skin (4)

22 Nobody specifically (6)

23 Showing malicious ill-will and a desire to hurt (8)

24 Population count (6)

Down

1 Revulsion (6)

2 Month of the year (9)

3 Stunned (5)

4 Draw back (7)

5 Second book of the Old Testament (6)

10 Effervescent mixer drink (4,5)

11 Expert (3)

13 Before, poetically (3)

14 Adrift (7)

16 Subtle difference in meaning (6)

18 Put together two or more pieces (4,2)

19 Country, capital Damascus (5)

27

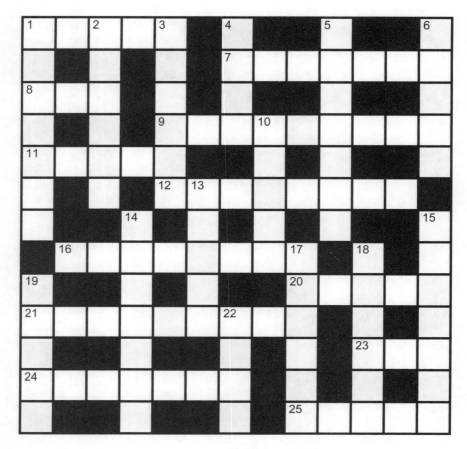

Across

1 Goes into a huff (5)

7 South American river fish with very sharp teeth (7)

8 Perform (3)

9 Honesty, moral integrity (9)

11 Cause to be annoyed, irritated, or resentful (5)

12 Picturesque city of southern California (3,5)

16 Dungarees (8)

20 Likeness (5)

21 Toxic (9)

23 Mischievous little fairy (3)

24 The act of entering (7)

25 Vertical part of a stair (5)

Down

1 Surgeon's knife (7)

2 Froth produced by soap (6)

3 Uses jointly (6)

4 Heroic (4)

5 Fortresses (7)

6 Engraving or carving in relief (5)

10 Ebbing and flowing (5)

13 Once more (5)

14 In a murderous frenzy (7)

15 Climbing plant (7)

17 Title given to a nun (6)

18 Dental decay (6)

19 Plant louse (5)

22 Expel (4)

Across

1 Illustrious (6)

7 Acting game, popular at Christmas (8)

8 Impetus (6)

10 Shudder (6)

11 Drab, gloomy (5)

13 Male sibling (7)

16 Situated at or extending to the side (7)

17 Judged (5)

20 Self-effacing (6)

22 Opaque form of quartz (6)

24 Period of 366 days (4,4)

25 Frogmen (6)

Down

1 Set up, incriminated (coll) (6)

2 Steeped, dried barley (4)

3 Spirally threaded cylindrical rod (5)

4 Collection of electrical cells (7)

5 Live-action film about a piglet (4)

6 Oil used as fuel in lamps (8)

9 Fatuous (5)

12 Logically valid (8)

14 Limited periods of time (5)

15 Workers' dining hall (7)

18 Compulsory force or threat (6)

19 Norwegian sea inlet (5)

21 Catch sight of (4)

23 Gait (4)

29

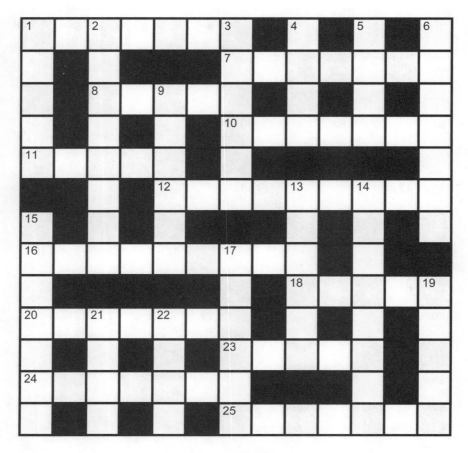

Across

1 Thin varnish used to finish wood (7)
7 Having a streak of good luck or success (coll) (2,1,4)
8 Nipples (5)
10 Make-up used on the eyelashes (7)
11 Horde (5)
12 As fast as possible (4-5)
16 Impossible to satisfy (9)
18 Throws away as refuse (5)
20 Period during which some action is awaited (4,3)
23 Unjustified (5)
24 Wholly occupy (7)
25 Skeletal muscle having three origins (7)

Down

1 Fires from a job (5)
2 Internal organs, collectively (8)
3 Universe (6)
4 Heating elements in an electric fire (4)
5 Method of meditation and exercise (4)
6 Swollen, distended (7)
9 Hollow under the upper limb where it is joined to the shoulder (6)
13 Took notice of (6)
14 Rush (8)
15 XV in Roman numerals (7)
17 Summer month (6)
19 Fertilised plant ovules (5)
21 Wise Men who brought gifts to Jesus (4)
22 King of the beasts (4)

Across

1 Be preoccupied with something (6)

5 Formerly the basic unit of money in Spain (6)

8 Size of writing paper (6)

9 Breadwinner (6)

10 Synthetic hairpiece (3)

11 Impudence (5)

13 Judge the worth of something (8)

15 Plant scientist (8)

16 Church building (5)

19 Consume (3)

21 Alternative (6)

22 Edible shellfish (6)

23 Hang freely (6)

24 Attractive woman (6)

Down

2 Undergrowth, twigs and small branches (9)

3 Suggestive of the supernatural (5)

4 Frozen rain (4)

5 Carrying a child (8)

6 Arrange or order by classes or categories (4,3)

7 Askew (4)

12 Expiation (9)

13 Importance owing to marked superiority (8)

14 Sponsorship (7)

17 Iraq's second largest city (5)

18 Cross a river where it's shallow (4)

20 Grave (4)

31

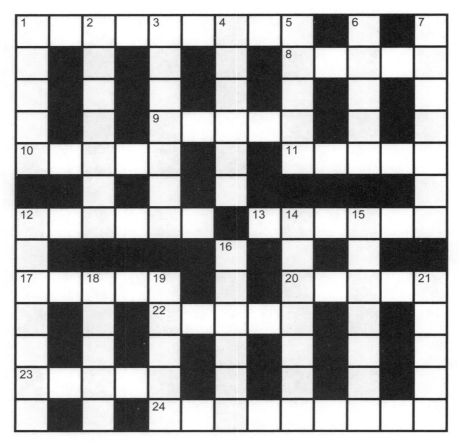

Across

1 Startled (9)

8 Plant used in the making of tequila (5)

9 Popular game played with pieces of stiffened paper (5)

10 Spicy tomato sauce (5)

11 Spool-and-string toys (2-3)

12 Decayed (6)

13 Head nurse (6)

17 Subtraction sign (5)

20 Direct one's attention on something (5)

22 Stop (5)

23 At no time (5)

24 Food turner with a broad blade (4,5)

Down

1 Occasions for buying at lower prices (5)

2 Small stream (7)

3 Skeletal structure (7)

4 Hallowed (6)

5 Lawn flower (5)

6 In a poor way (5)

7 Meat from a deer (7)

12 Unrestrained and violent (7)

14 State of being behind in payments (7)

15 Filled pasta cases (7)

16 Calculating machine (6)

18 Artless (5)

19 Muffler (5)

21 Item of furniture (5)

Across

1 Vessels that carry blood to the heart (5)

7 Cooking utensil (7)

8 Fabulous monster (7)

9 Daydream (7)

12 Official emblems (8)

14 Large container (4)

16 Carry (4)

18 Black treacle (8)

20 Native to the UK (7)

23 Attribute (7)

24 Administrative divisions of Switzerland (7)

25 Old Testament prophet (5)

Down

1 Singer (8)

2 Fools (6)

3 Look for (4)

4 Russian emperor (4)

5 Slipshod (8)

6 Formula for cooking (6)

10 Empower (6)

11 Feeling of ill-will arousing active hostility (6)

13 Individuality (8)

15 Impetuosity (8)

17 Pilot of a plane (6)

19 Slow-moving molluscs (6)

21 Chopped meat mixed with potatoes (4)

22 Film of impurities on the surface of a liquid (4)

33

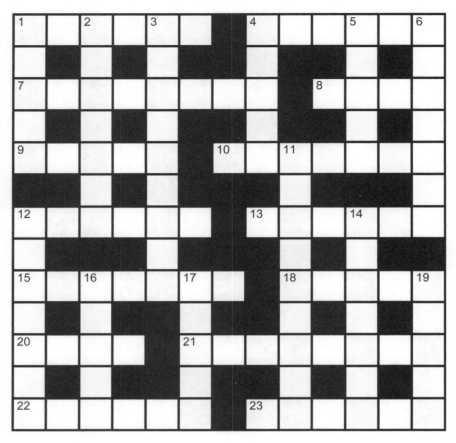

Across
1 Of late (6)
4 Filament (6)
7 Wide view (8)
8 Capital of Latvia (4)
9 Bloodsucker (5)
10 Be false to (7)
12 Steps consisting of two parallel members connected by rungs (6)
13 Closed political meeting (6)
15 Volatile liquid used chiefly as a solvent (7)
18 Hinged lifting tool (5)
20 Weedy annual grass (4)
21 Matter deposited at the bottom of a lake, for example (8)
22 Thick and smooth, soupy (6)
23 Clergyman assisted by a curate (6)

Down
1 Disgust (5)
2 Maintain or assert (7)
3 Compass point at 315 degrees (5-4)
4 Empty area (5)
5 Excuse for failure (5)
6 Boxlike containers in a piece of furniture (7)
11 Land along the edge of a sea (9)
12 Insane person (7)
14 Become obstructed (7)
16 Rid of impurities (5)
17 Arctic sled dog (5)
19 Forest god (5)

Across

1 Dazed state (6)
4 Choose (6)
7 Insincere talk about religion or morals (4)
8 Supply with water (8)
10 Disorderly fighting (6)
12 ___-Herzegovina, European country (6)
14 Fried potato snacks (6)
17 Pale (of colour) (6)
19 Logs, twigs, etc, used for fuel (8)
21 Mountain goat (4)
22 Person authorised to conduct religious worship (6)
23 Alter the dimensions of (6)

Down

1 Of a kind specified or understood (4)
2 Regional dialect (6)
3 Spread negative information about (6)
4 Sacred beetle (6)
5 Makes a sound expressing amusement (6)
6 Holder (9)
9 Member of an irregular armed resistance force (9)
11 Rim (3)
13 Egg cells (3)
15 Gardening scissors (6)
16 Motto (6)
17 One who travels about selling his wares (6)
18 Mars, ruins (6)
20 Wheel shaft (4)

35

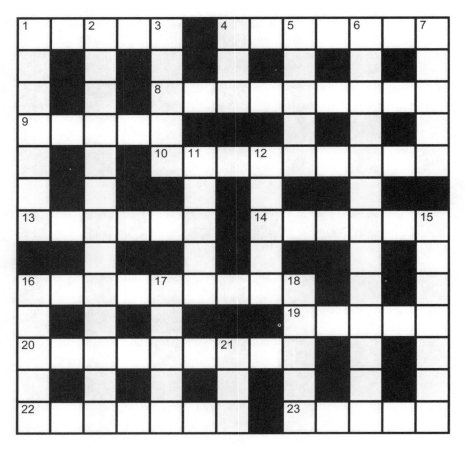

Across

1 Ten-tentacled sea creature (5)
4 Helps (7)
8 Funds of a government (9)
9 Removes the rind from (5)
10 Craft used outside the Earth's atmosphere (9)
13 Beams of light (6)
14 Rectifies, redresses (6)
16 Pupa (9)
19 Covers the surface of (5)
20 Italian word for a woman loved or loving (9)
22 Gift (7)
23 Quiet (5)

Down

1 Exceed (7)
2 Framework that serves as a support for the body of a vehicle (13)
3 Clothing (5)
4 Joan of ___, French heroine (3)
5 Root vegetable (5)
6 Tropical arm of the Pacific Ocean subject to frequent typhoons (5,5,3)
7 Oddment (5)
11 Civil or military authority in Turkey (5)
12 Welsh breed of dog (5)
15 Highly seasoned meat stuffed in a casing (7)
16 Intelligent ape of equatorial African forests (abbr) (5)
17 Retail establishment (5)
18 Scallywag (5)
21 Prowess (3)

Across

1 Fine grit (4)

3 Unconsciousness induced by drugs (8)

9 Connived (7)

10 Airport in Chicago (5)

11 King of Northumbria and Christian saint (5)

12 Less difficult (6)

14 Underside of a beam or arch (6)

16 Draw aimlessly (6)

18 Baby (6)

19 Time after sunset (5)

22 American raccoon (5)

23 Desolate (7)

24 Feign sickness in order to avoid duty or work (8)

25 Computer memory unit (4)

Down

1 Excited anticipation of an approaching climax (8)

2 Not in any way (5)

4 Woolly-headed (6)

5 Long race run over open terrain (5-7)

6 Marine plant (7)

7 Small hard fruit (4)

8 Liberation, especially from social or political restrictions (12)

13 Judicial punishment (8)

15 Letters from devotees to a celebrity (3,4)

17 Muffle, suppress (6)

20 State of high honour (5)

21 Confidence trick (4)

37

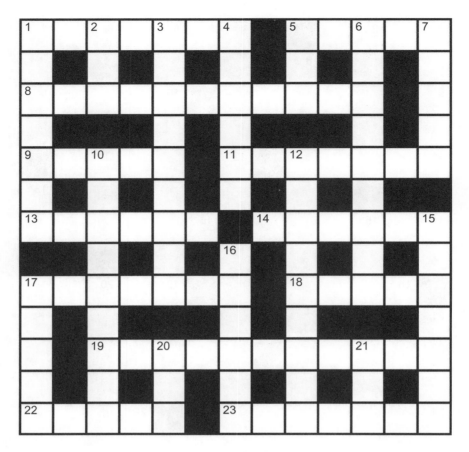

Across

1 Manual dexterity (7)

5 Bedtime drink (5)

8 Wrongdoer (11)

9 Type of heron (5)

11 Horse's bit (7)

13 Australian term for food (6)

14 Rough area on the skin (6)

17 Spiced Spanish wine (7)

18 Rolls-___, motor manufacturing company (5)

19 Crammed full of people or things (coll) (5-1-5)

22 Stiff pompous gait (5)

23 Excessive freedom (7)

Down

1 Acutely insightful and wise (7)

2 At all times, poetically (3)

3 Constellation of Ursa Major (5,4)

4 Beat the seeds out of grain (6)

5 Popular pet (3)

6 With caution (9)

7 Humble (5)

10 Fast motor vehicle used in competition (6,3)

12 Active in the absence of free oxygen (9)

15 Dapple (7)

16 Scavenging animal (6)

17 Preserves (5)

20 Cereal grass (3)

21 Be in possession of (3)

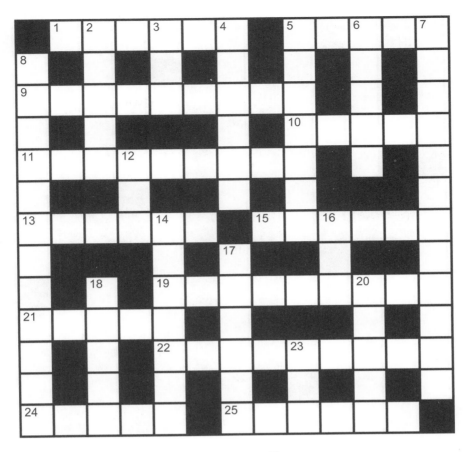

Across

1 Husband of Queen Elizabeth II (6)

5 Native New Zealander (5)

9 Small firearm which shoots pellets (3,6)

10 Former Portuguese province on the south coast of China (5)

11 Splendid and expensive-looking (9)

13 Ensign (6)

15 Ring road (6)

19 Study of the physical properties of sound (9)

21 Salvers (5)

22 Become one (9)

24 Kinswoman (5)

25 Name derived from the name of a person (6)

Down

2 Women's quarters (5)

3 Hawaiian floral garland (3)

4 Travel around an area regularly to maintain security (6)

5 Sweet Madeira wine (7)

6 Delayed, postponed (2,3)

7 Body's protection against disease (6,6)

8 Port and resort in northern Spain (3,9)

12 Metal cooking vessel (3)

14 Slippery (7)

16 Quarry (3)

17 Baby's shoe (6)

18 Ancient tale (5)

20 Country, capital Rome (5)

23 Gunge (3)

39

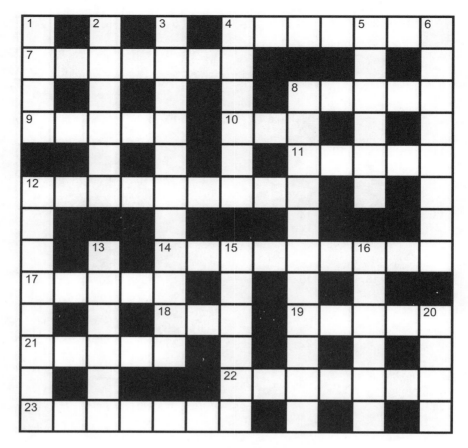

Across

4　Filled with bewilderment (7)

7　Stipulated condition (7)

8　Scorches (5)

9　Remains (5)

10　___ Lanka, country (3)

11　Not drunk (5)

12　Guide for conduct or action (9)

14　Subway (9)

17　Tight-fitting trousers, usually of tartan (5)

18　Of a thing (3)

19　Saltpetre (5)

21　Shrimp-like crustacean (5)

22　Oblivious (7)

23　Piercing cries (7)

Down

1　Musical composition (4)

2　Give to a charity (6)

3　Child of an aunt or uncle (5,6)

4　Tiny Japanese tree (6)

5　Tattered (6)

6　Having a wish for something (8)

8　Female to whom one is related by marriage (6-2-3)

12　Egg-laying, Australian creature (8)

13　Fix (6)

15　Object thrown in athletic competitions (6)

16　Real (6)

20　Optical organs (4)

Across

1 Common condiments (4,3,6)

7 Cats' feet (4)

8 Being moderately fond of (6)

9 Time of life between the ages of 13 and 19 (5)

10 Australasian parrot (4)

12 Indigenous person (6)

13 Take in with the tongue (3,2)

15 Jolly ___, pirates' flag (5)

18 Attorney (6)

20 Greek letter (4)

21 Light semi-transparent fabric (5)

22 Potent, energetic (6)

23 Native of Glasgow, for example (4)

24 Train carriage reserved for eating (10,3)

Down

1 Furnish with (6)

2 Appetising (5)

3 Bare (5)

4 Pale lager with a strong flavour of hops (7)

5 Honour (9)

6 Remorse (6)

11 Repairs to the highway (9)

14 Upstart (7)

16 Ingenious (6)

17 Covering for the lower leg and ankle (6)

19 Latin for 'about' (5)

20 Plagued (5)

41

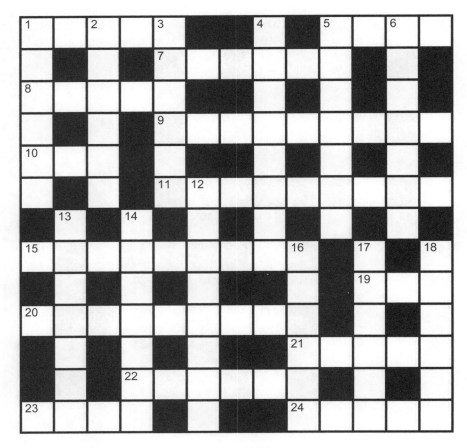

Across

1 Garden bush (5)
5 Thin strip of wood or metal (4)
7 Old Testament book (6)
8 Public announcement of a proposed marriage (5)
9 Infectious liver disease (9)
10 Shortened forename of US president Lincoln (3)
11 Boundary (9)
15 Roomy (9)
19 Astern (3)
20 Tool used to press clothes (5,4)
21 Japanese dish (5)
22 Type of cloth (6)
23 Attention (4)
24 Piece of poetry (5)

Down

1 Underground passage (6)
2 Sprinter (6)
3 Chess piece (6)
4 Italian sponge cake, coffee and brandy dessert (8)
5 Wither, especially due to loss of moisture (7)
6 Fan, supporter (7)
12 Entitled, qualified (8)
13 Musical setting for a religious text (7)
14 Counterweight (7)
16 Detection device (6)
17 Quaggy (6)
18 Tap forcefully (6)

42

Across
1 Small and delicate (5)
4 Highest female voice (7)
8 Listening organ (3)
9 Grudging (9)
10 Tea-time sweet bread roll (5)
11 Schoolgirl's sleeveless garment (7)
13 Roman priestesses vowed to chastity (6,7)
15 Verbal defamation (7)
17 Skin covering the top of the head (5)
19 Transversely (9)
21 Charged particle (3)
22 Preparing for publication (7)
23 Subject (5)

Down
1 Level betting (5)
2 Marked by extreme and violent energy (7)
3 Nanny (9)
4 Autonomous, not controlled by outside forces (4-9)
5 Type of plastic used as a rubber substitute (abbr) (3)
6 Take advantage (5)
7 Eight-limbed sea animal (7)
12 Confused multitude of things (5-4)
13 Small fluid-filled bladder or cyst within the body (7)
14 Suppose (7)
16 Garlic mayonnaise (5)
18 Pasta in short tubes with diagonally cut ends (5)
20 Glide over snow (3)

43

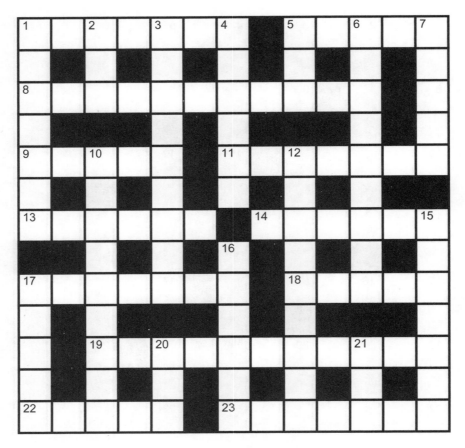

Across

1 Percussion instrument (7)
5 Took in liquid (5)
8 Meeting arranged in advance (11)
9 Wheel coverings (5)
11 Reprieve (7)
13 Disclose (6)
14 Whitish 'meal' drunk before an X-ray (6)
17 Horizontal passageway in a mine (7)
18 Units of heredity (5)
19 Suggest that someone is guilty (11)
22 The first light of day (3-2)
23 Kitchen appliance (7)

Down

1 Hold under a lease agreement (7)
2 Circuit (3)
3 Free from disorder (9)
4 Clothing (6)
5 Pass from physical life (3)
6 Wearing down through sustained attack or pressure (9)
7 Cutting instrument (5)
10 Intense aversion (9)
12 Place of complete bliss (7-2)
15 Perceive words incorrectly (7)
16 Stenographer (6)
17 Group containing one or more species (5)
20 Cloth hat (3)
21 Little insect (3)

44

Across

1 Handling of an operation (9)

5 Total (3)

7 Male reproductive organ of a flower (6)

8 South American plains (6)

10 Waistband (4)

11 Funeral procession (7)

13 Play it again (2-5)

17 Run or skip about briskly (7)

19 Territory (4)

21 Amphibious animal renowned for its fur (6)

22 Mouth fluid (6)

23 Affirmative word (3)

24 Extra wheel (5,4)

Down

1 Mislay (4)

2 Shingle (6)

3 Term of endearment (7)

4 Step (5)

5 Seven people considered as a unit (6)

6 Revealing supreme skill (8)

9 Appearance of a place (7)

12 Maybe (8)

14 Assemble in proper sequence (7)

15 Units of weight for precious stones (6)

16 Anything having existence (6)

18 Newspaper writers and photographers, collectively (5)

20 Hollow in a rock (4)

45

Across

1 Maltreater (6)
5 Produce (6)
8 Unforeseen obstacle (4)
9 Single-reed instrument (8)
10 Wooden pin (5)
11 Tooth doctor (7)
14 Armed fight (6)
15 Free-and-easy (6)
17 Educator (7)
19 Destined (5)
21 Herbaceous plant also known as the speedwell (8)
23 Summit (4)
24 Invasion by pathogenic bacteria (6)
25 Cavalryman (6)

Down

2 Expression of goodwill at the start of a trip (3,6)
3 Put forward (7)
4 Stack of hay (4)
5 Fuse or cause to grow together (8)
6 Expel from one's property (5)
7 Definite article (3)
12 Pseudonym of an actor (5,4)
13 Branch of biology that studies heredity and variation in organisms (8)
16 Hone (7)
18 Cuts into pieces (5)
20 Bucket (4)
22 Adam's wife (3)

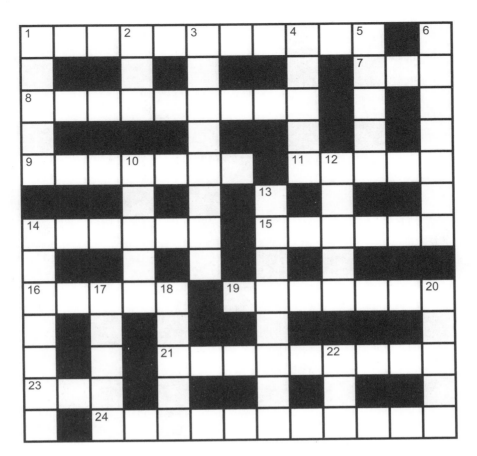

46

Across

1 Unskilfulness resulting from a lack of training (11)

7 Mother of the ancient Irish gods (3)

8 Us (9)

9 Body of water between Israel and Jordan (4,3)

11 Give expression to (5)

14 Turn into (6)

15 Emergence (6)

16 Pulverise (5)

19 Comical (7)

21 Come about, happen (9)

23 Vehicle from another world (inits) (3)

24 Unsuccessful attempts to begin something (5,6)

Down

1 Not silently (5)

2 Existed, lived (3)

3 Alleviated (8)

4 Follow on from (5)

5 Volley (5)

6 Streamers (7)

10 Falls (5)

12 Distinguishing features (5)

13 Either end of a bus route (8)

14 Coy, shy (7)

17 Detached (5)

18 Lodging place (5)

20 Judge tentatively (5)

22 Popular vegetable (3)

47

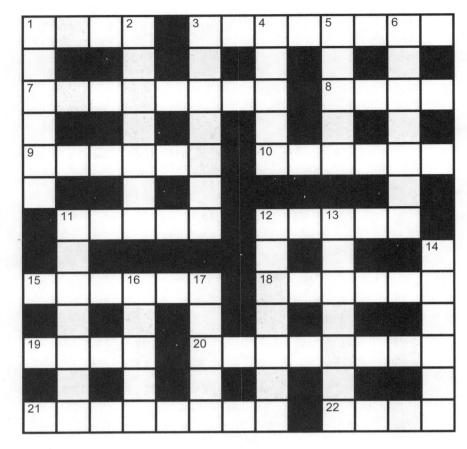

Across
1 Addition (4)
3 Container for a letter, thin package, etc (8)
7 Popular dessert (5,3)
8 Buddy (4)
9 Alternating between discouragement and encouragement (4-2)
10 Fine white clay (6)
11 Dogma (5)
12 One of the Seven Dwarfs (5)
15 Elderly male (3,3)
18 Large underground chamber (6)
19 Greenish-blue (4)
20 Relating to the stars or constellations (8)
21 Acknowledged defeat (8)
22 Back garden (4)

Down
1 Compliment (6)
2 Shallow depression in the ground in which brine evaporates to leave a deposit (7)
3 Abuse (7)
4 Front of a jersey, cut to a point (1-4)
5 State of being disregarded or forgotten (5)
6 Turn to stone (7)
11 Hunt cry telling that the fox has been sighted (5-2)
12 Made up one's mind (7)
13 State of having little or no money (7)
14 Set at a slant (6)
16 Frenzied (5)
17 Pried (5)

Across

1 Cylinder (4)

3 Funds (8)

9 Prompts the memory (7)

10 Gamut (5)

11 Matter that is in dispute and must be settled (5)

12 Maths system based on tens (7)

13 Showing extreme courage (6)

15 Nearer (6)

18 Indigenous people (7)

19 Distress (5)

21 Scour (5)

22 US state on the Gulf of Mexico (7)

23 Hangs freely (8)

24 Incision (4)

Down

1 Relating to the country of which Ankara is the capital (7)

2 Irregular prominences on a surface (5)

4 Interior (6)

5 Relating to rural matters (12)

6 Places where movies are shown (7)

7 Aroma (5)

8 Incredible (12)

14 Sends back (7)

16 Recant (7)

17 Ground surrounded by water (6)

18 Birds' homes (5)

20 Will (5)

49

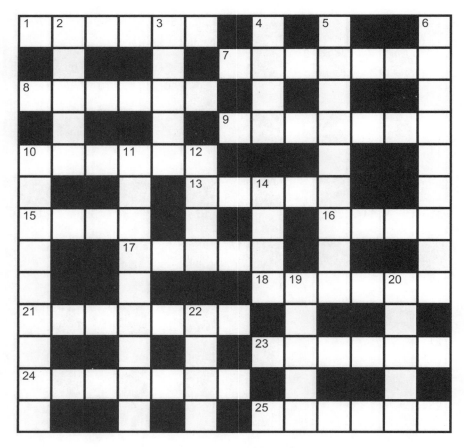

Across

1 Excessive pride (6)
7 Night attire (7)
8 Force (6)
9 Deprive through death (7)
10 Discrimination against a person in the latter part of life (6)
13 Computer code representing text (inits) (5)
15 Bulk (4)
16 Type of food shop (abbr) (4)
17 Cloth with parallel diagonal lines (5)
18 Financial (6)
21 Popular social networking website (7)
23 Receive (6)
24 Catch (7)
25 Stocking gauge measure (6)

Down

2 In line with a length or direction (5)
3 Plait (5)
4 Cattle shed (4)
5 Range oneself with one party or another (4,5)
6 Vital (9)
10 Truce (9)
11 Organisation (9)
12 African republic, capital Bamako (4)
14 Young of a cow (4)
19 Permeate (5)
20 Equally (5)
22 Work for reward (4)

50

Across

1 Tube through which darts can be shot by puffing (8)

5 Fashion (4)

7 Sustain (7)

8 Knocked unconscious by a heavy blow (7)

9 Brisk and lively tempo (7)

11 Children's outdoor toy (6)

14 Printed mistakes (6)

16 Capsicum spice (7)

18 Defendant in a court of law (7)

21 Capital of Georgia (7)

22 Annum (4)

23 Reduce in rank (8)

Down

1 Rubbish receptacles (4)

2 Dull-witted (6)

3 Sensation of acute discomfort (4)

4 Bamboo-eating mammal (5)

5 Killer (8)

6 Country, capital Addis Ababa (8)

10 Interweave (4)

11 Fellow feeling (8)

12 Hand-held firework (8)

13 Travel by foot (4)

15 Ms Earhart, pioneering female aviator (6)

17 Line spoken by an actor to the audience (5)

19 Free from the risk of harm (4)

20 Wood plant (4)

51

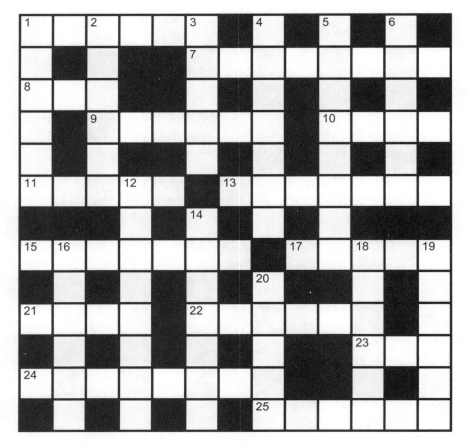

Across

1 Stings (6)

7 Person to whom money is owed by a debtor (8)

8 Alias (inits) (3)

9 Belonging to those people (6)

10 If not, then (4)

11 Scatter in a jet of droplets (5)

13 Opposite (7)

15 Goods lost at sea (7)

17 Flexible twig of a willow (5)

21 Metal food containers (4)

22 Expresses gratitude (6)

23 Donkey (3)

24 Army unit smaller than a division (8)

25 Extraterrestrial beings (6)

Down

1 Trembles (6)

2 Personification of a familiar idea (6)

3 Firm open-weave fabric used by window-cleaners (5)

4 Childhood disease (7)

5 Enduring (8)

6 Brags (6)

12 Aesthetic (8)

14 At a more distant point (7)

16 Guide (6)

18 Mad (6)

19 Type of monkey, macaque (6)

20 Indian side dish of yogurt and chopped cucumbers (5)

Across

4 Attained maximum intensity (6)
6 Jaunty (8)
7 Sharp-eyed birds (6)
8 Clubs used in the game of cricket (4)
9 Deciduous tree (3)
11 Daisy-like flower (5)
12 Systematic plan for therapy, often including diet (7)
15 Child learning to walk (7)
17 Of considerable weight and size (5)
20 Likewise (3)
21 Rotation (4)
22 Dock (6)
23 Destined, meant (8)
24 Bonfire signal (6)

Down

1 Colourful flower parts (6)
2 Unfinished business (5,4)
3 Assigned to a station (5)
4 First in rank or degree (7)
5 Appear (6)
10 Distance indicator at the side of a road (9)
11 Appropriate (3)
13 Word indicating a negative answer (3)
14 Positive (7)
16 Of a sphere, flattened at opposite sides (6)
18 Aim at (6)
19 Largest artery of the body (5)

53

Across

1 Flog (4)

3 Radio receiver (8)

9 Mention particularly (7)

10 Cut into pieces (5)

11 Former members of the armed forces (2-10)

14 Young newt (3)

16 Shores up (5)

17 Small amount (3)

18 Not showing good judgment (12)

21 Bring up (5)

22 Absurd pretence (7)

23 Hand-to-hand fighter (8)

24 Hoots with derision (4)

Down

1 Hearer (8)

2 Prophets (5)

4 Extremely cold (3)

5 Day in spring on which the Resurrection is celebrated (6,6)

6 Distinguished (7)

7 Domed beehive made of twisted straw (4)

8 Give a false or misleading account of the nature of (12)

12 Religious paintings (5)

13 State of inactivity (8)

15 Capable of being stretched (7)

19 Well done! (5)

20 Prepare by infusion (4)

22 Prompt (3)

Across
1 Metric measurement (5)
4 Material used to form a hard coating on a porous surface (7)
8 Speck (3)
9 Spokes (5)
10 Transmitting live from a studio (2,3)
11 Intestinal viral disease of pigs (5,5)
13 Light evening meal (6)
15 Equipment for taking pictures (6)
18 Part of a theatre stage in front of the curtain (10)
22 Organ of a flower (5)
23 Carried (5)
24 Nought (3)
25 Earnest (7)
26 Culture (5)

Down
1 Magnanimity (8)
2 Periodic rises and falls of the sea (5)
3 Large imposing building (7)
4 Gazed (6)
5 Dwelling (5)
6 Scholarly life (7)
7 Mountain lake (4)
12 Female hereditary title (8)
14 Be relevant to (7)
16 Disposed to please (7)
17 Calm, with no emotional agitation (6)
19 Panache (5)
20 Spring month (5)
21 Spinning toys (4)

55

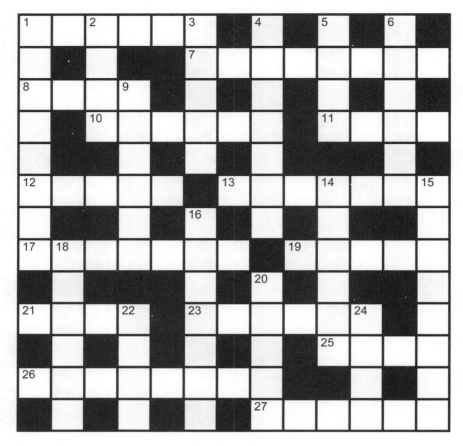

Across

1 Sea in northern Europe (6)

7 Animal that has died after being hit by a vehicle (8)

8 Unwanted email (4)

10 Well-seasoned stew (6)

11 Roman cloak (4)

12 Discernment (5)

13 Not in good condition (7)

17 Heavenly body also known as Sirius (3,4)

19 Kindly endorsement and guidance (5)

21 Rounded thickly curled hairdo (4)

23 Departs (6)

25 Flightless bird (4)

26 Certain to be successful (4-4)

27 Baby's toy (6)

Down

1 Infatuated (8)

2 Fabricator (4)

3 Hooked staff of a shepherd (5)

4 Cocktail of vermouth and gin (7)

5 Short theatrical episode (4)

6 Large metal or pottery vessel (6)

9 Insect which rests with forelimbs raised as if in prayer (6)

14 Icebreaker (6)

15 Providing no shelter or sustenance (8)

16 Sensationalist (journalism) (7)

18 Piece sliced from a larger piece (6)

20 Tier (5)

22 Be compliant (4)

24 Become closed (4)

56

Across

1 Method of removing unwanted hair (12)
9 Tresses of hair (5)
10 Small bottle that contains a drug (5)
11 Tit for ___, getting even (3)
12 Seasoned, colourful rice (5)
13 Malady (7)
14 Electric razor (6)
16 Place for the teaching or practice of an art (6)
20 Flight company (7)
22 Glowing fragment of wood or coal left from a fire (5)
24 Dry (wine) (3)
25 Country, capital Tokyo (5)
26 Natives of Kuwait or Qatar, for example (5)
27 Predictable, expected (12)

Down

2 In the vicinity (5)
3 Dress (7)
4 Pastoral (6)
5 Facing of a jacket (5)
6 Clergyman's salary (7)
7 Undersides of shoes (5)
8 Runs off to get married (6)
15 Greek deity, one of the three Fates (7)
17 Protective shoe-coverings (7)
18 Attack (6)
19 Annoy persistently (6)
20 Former province of western France, on the Loire (5)
21 Interior (5)
23 Eva ___, German mistress of Adolf Hitler (5)

57

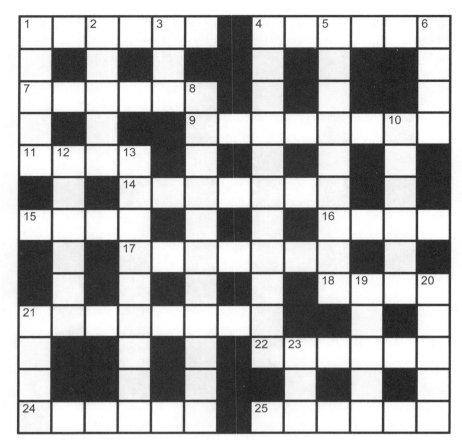

Across

1 Descend by rope (6)
4 Small and compactly built upright piano (6)
7 Again but in a new or different way (6)
9 Dish of beaten eggs (8)
11 Border (4)
14 Those who suffer for the sake of their principles (7)
15 Handle (4)
16 Looked at (4)
17 Synthetic fabric (7)
18 Finishing line for a foot race (4)
21 Accidental collision that is narrowly avoided (4,4)
22 Line of contrasting colour (6)
24 Has faith in (6)
25 As follows (6)

Down

1 Not in a state of sleep (5)
2 Branchlet (5)
3 ___ and buts, objections (3)
4 Toughened or laminated transparent substance (6,5)
5 Meet at a point (9)
6 Narration (4)
8 Movies with gruesome or bloodcurdling themes (6,5)
10 Absorb (4,2)
12 Signify (6)
13 Cause to feel self-conscious (9)
19 Endure (5)
20 Each one, without exception (5)
21 Not diluted (4)
23 Beverage (3)

58

Across

1 Cases to carry (7)
8 Communiqué (7)
9 Indic language spoken in north-western India (7)
10 Inferior substitute or imitation (6)
12 Spin around (6)
13 Basically (11)
17 Relating to the stars (6)
20 Disease of the skin (6)
23 Music of the early 20th century (7)
24 Trade stoppage (7)
25 Timidity (7)

Down

1 Nursery rhyme shepherdess (2,4)
2 Old Testament book(7)
3 Isolated (5)
4 Islamic ruler (4)
5 Put to the test (5)
6 Strong, lightweight wood (5)
7 Wide-mouthed cup (6)
11 Divided into regions (5)
12 Move smoothly (5)
14 Movement of the sea in the same direction as the wind (3,4)
15 Strip fixed to something to hold it firm (6)
16 Stroke lovingly (6)
18 Cat mottled with black (5)
19 Terminate before completion (5)
21 Characterised by great wariness (5)
22 God of love, also known as Cupid (4)

59

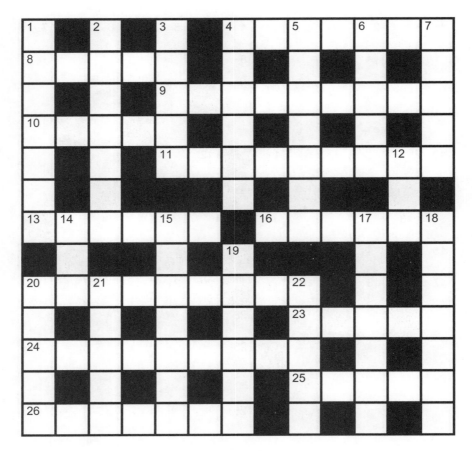

Across

4 Sleep (7)
8 Hoard (5)
9 Determine beforehand (9)
10 Supple (5)
11 Bulbous spring-flowering plant (9)
13 Grade or level (6)
16 Service of china or silverware, used at table (3,3)
20 Lively Brazilian dance similar to the samba (5,4)
23 Paces (5)
24 Sword lily (9)
25 Sing the praises of (5)
26 Game of chance (7)

Down

1 Wild duck (7)
2 Going different ways (7)
3 Trembling poplar (5)
4 Fortified wine (6)
5 Resurrect (7)
6 Boasts (5)
7 Orders (5)
12 Expend (3)
14 Umberto ___, author of *The Name of the Rose* (3)
15 Probe (7)
17 Three score and ten (7)
18 Supporting framework (7)
19 Covered with a fungal growth which causes decay (6)
20 Ring-shaped bread roll (5)
21 Of limited quantity (5)
22 Thing of value (5)

60

Across
1 Peacefully resistant in response to injustice (7)
5 Large ladle (5)
8 Broadcast (3)
9 Feeling of longing for something past (9)
10 Assign (5)
12 Without blemish or contamination (4)
13 Raise in a relief (6)
15 Flip (a coin, for example) (4)
17 Stare at (4)
20 Shouts of approval (6)
22 Give medicine to (4)
23 Select group (5)
25 Minor fibs (5,4)
26 Muhammad ____, former champion boxer (3)
27 Mixture of rain and snow (5)
28 Call together (for a meeting) (7)

Down
1 Lowly agricultural labourer (7)
2 More than is needed (7)
3 Not established by conditioning or learning (6)
4 Direction of the rising sun (4)
6 West Indian song (7)
7 Dish on which food is served (5)
11 Male pig (4)
14 Compliant, tame (4)
16 Ceremonial or emblematic staff (7)
18 Pull a face (7)
19 Christian recluse (7)
21 Lend flavour to (6)
22 Rolling treeless highland (5)
24 Phonograph record (4)

61

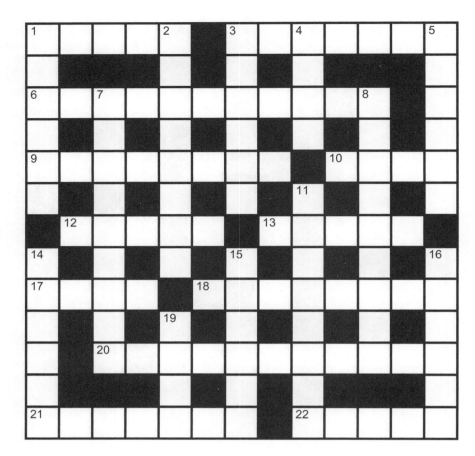

Across

1 Confronts bravely (5)

3 Receptacles for shopping (7)

6 Suitable and fitting (11)

9 Qualified for by right according to law (8)

10 Narrow road (4)

12 Component parts of a skeleton (5)

13 Trembled (5)

17 Part of a flower (4)

18 Addition (8)

20 Splendid (11)

21 Expressed approval of (7)

22 Rapier (5)

Down

1 Was apprehensive about (6)

2 Removed the creases from (8)

3 Made a noise like a dog (6)

4 Remain (4)

5 Grabbed forcefully (6)

7 Crude oil (9)

8 Lose water due to heating (9)

11 Bright red fruits (8)

14 Not awake (6)

15 Loosened cords (6)

16 Hired (6)

19 Matures (4)

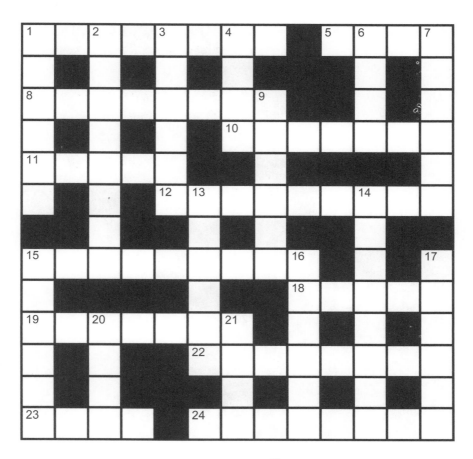

Across

1 Amount that can be contained (8)
5 In a lofty position (4)
8 Performs surgery on (8)
10 Arachnids (7)
11 Protect from light (5)
12 Natives of Madrid, for example (9)
15 Puts off until a later time (9)
18 Keyboard instrument (5)
19 Wanted intensely (7)
22 Edge of a highway (8)
23 Sound reflection (4)
24 Bundles, clumps (8)

Down

1 Decide (6)
2 Equips in advance (8)
3 Runs after (6)
4 Digits of the foot (4)
6 At rest (4)
7 Equine animals (6)
9 Primitive multicellular marine animal (6)
13 Not as rich (6)
14 Proportional (8)
15 Swim like a dog in shallow water (6)
16 Playing-card suit (6)
17 Shrouds (6)
20 Utterance made by exhaling audibly (4)
21 Child's toy (4)

63

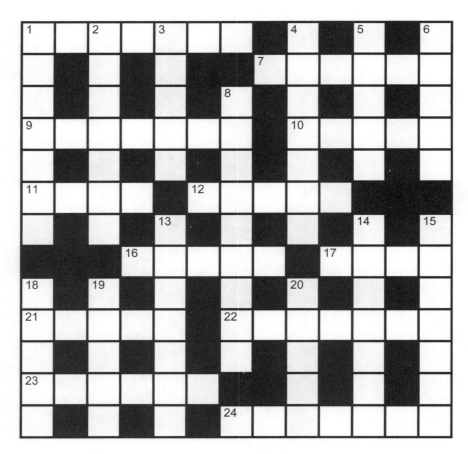

Across

1 During (7)

7 Heavenly (6)

9 Flat upland (7)

10 Cinders (5)

11 Plenty (4)

12 Accuse of being responsible (5)

16 Fenland (5)

17 Carry (4)

21 Crouch, bow (5)

22 Getting on in years (7)

23 Less pretty (6)

24 Expressions intended to offend or hurt (7)

Down

1 Larval frog (7)

2 Meeting for boat races (7)

3 Advocated (5)

4 Renders harmless by taking weapons from (7)

5 Radiance (5)

6 Poetry (5)

8 Put into print (9)

13 Specimens (7)

14 Frightened (7)

15 Solemn requests to God (7)

18 Deplete (3,2)

19 Jovial (5)

20 Borders (5)

64

Across
1 Capital of modern Macedonia (6)
4 Greek 'L' (6)
9 Animal skin (7)
10 Memory loss (7)
11 Was upright (5)
12 Factions (5)
14 Acknowledge (5)
15 Flat masses of ice floating at sea (5)
17 Secret store (5)
18 Insusceptible to persuasion (7)
20 Strong feeling (7)
21 Abrupt (6)
22 Ebb (6)

Down
1 Dash a liquid upon or against (6)
2 Musical composition based on a religious text (8)
3 Holy war waged by Muslims (5)
5 In the middle of (7)
6 Decoratively tied strips of ribbon (4)
7 Forever (6)
8 Top chess player (11)
13 Lotion used in the treatment of sunburn (8)
14 With a side or oblique glance (7)
15 Noisy quarrel or fight (6)
16 Complain peevishly in an annoying or repetitive manner (6)
17 Have a cigarette (5)
19 In one's sleeping place (4)

65

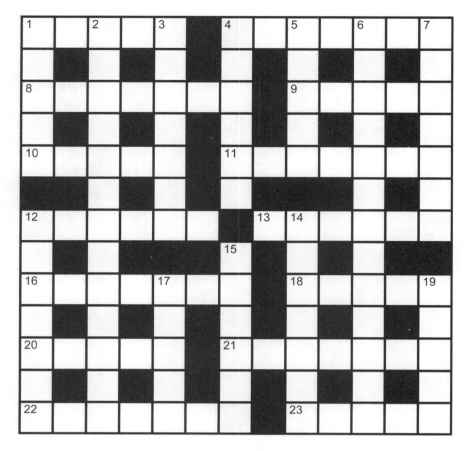

Across

1 Wireless (5)

4 Sorrow (7)

8 Style of design popular in the 1920s and 1930s (3,4)

9 Eyeshade (5)

10 Wears out (5)

11 Penetrates gradually (5,2)

12 Prepared (a gun) for firing (6)

13 Prove to be false (6)

16 Currant bun (7)

18 Amy Winehouse hit of 2007 (5)

20 Board used with a planchette (5)

21 Issue forth (7)

22 Curving in and out (7)

23 Jackpot (5)

Down

1 Cook with dry heat (5)

2 Quality of devoting one's full strength and attention to (13)

3 Supervise (7)

4 Marriage partner (6)

5 Long backless sofa (usually with pillows against a wall) (5)

6 Compass point at 112.50 degrees (4,5-4)

7 Peculiar (7)

12 Inciting sympathy and sorrow (7)

14 Set aside (7)

15 Insurgents (6)

17 Famous Mexican-American battle (5)

19 Muscular and heavily built (5)

66

Across

1 First of January (3,5,3)

9 Employment (5)

10 Single (3)

11 Particle of sand (5)

12 Priory residents (5)

13 Full set of bones (8)

16 Popular citrus-flavoured soft drink (8)

18 Tendency (5)

21 Location, whereabouts (5)

22 Throughout a period of time, poetically (3)

23 Award for winning (5)

24 Claimed back (11)

Down

2 Affianced (7)

3 More immature (7)

4 Slowly, in musical tempo (6)

5 Rise as vapour (5)

6 Oak seed (5)

7 The making or enacting of laws (11)

8 Amount, of distance for example (11)

14 Bewilder (7)

15 Gruesome (7)

17 Becomes ground down (6)

19 Spooky (5)

20 Walt Disney film of 1941 (5)

67

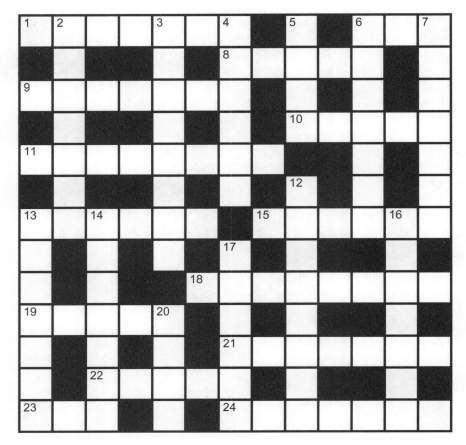

Across

1 Formal charge of wrongdoing (7)

6 Science room (abbr) (3)

8 Compere (coll) (5)

9 Own up to (7)

10 Demise (5)

11 Sheets and pillowcases (3,5)

13 Small box for holding valuables (6)

15 Pincers (6)

18 Winter month (8)

19 Cavalry unit (5)

21 Dash a liquid upon or against (7)

22 Oil-bearing laminated rock (5)

23 Occupied a chair (3)

24 Act of returning to the
Earth's atmosphere (2-5)

Down

2 Acute intestinal infection (7)

3 Example (8)

4 Diminish (6)

5 Caustic (4)

6 Beneficiary of a will (7)

7 Takes the trouble (7)

12 Arouse hostility or indifference (8)

13 Actors who are given equal status
in leading rôles in a film (2-5)

14 Unaccompanied musician (7)

16 Graceful woodland animal (3,4)

17 Perplexing riddle (6)

20 Baby buggy (abbr) (4)

Across

1 Put out of action (by illness) (8)

5 Marshes (4)

9 Astounding (7)

10 Revolving blade (5)

11 Loathsome (10)

14 Plant-derived (6)

15 Annul by rescinding (6)

17 Ancient beyond record (10)

20 Musical compositions with words (5)

21 Type of warship (7)

22 Predatory carnivorous canine (4)

23 Ghostly (8)

Down

1 Close with a bang (4)

2 Peruse (4)

3 Minimum amount of material needed to maintain a nuclear reaction (8,4)

4 Hire for service (6)

6 One who is not a member of a group (8)

7 Make a laboured effort (8)

8 Closely question a hostile witness in court (5-7)

12 Mechanical power-driven cutting tool (8)

13 Crook (8)

16 Derive a benefit from (6)

18 Container for a bird (4)

19 Shade of green-blue (4)

69

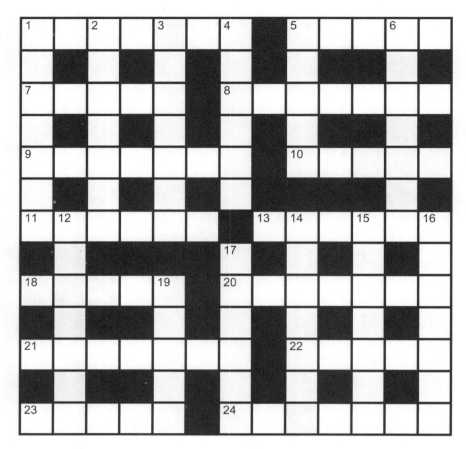

Across

1 Drop sharply (7)

5 Sharp part of a knife (5)

7 Measuring stick (5)

8 Gambles (7)

9 Thawed (7)

10 Less dangerous (5)

11 Most lowly of birth or station (6)

13 Table linen material (6)

18 Sisters of one's parents (5)

20 Less clouded (7)

21 Transportation of goods by truck (7)

22 Make a strident sound (5)

23 Pain sometimes experienced by divers (5)

24 Victory (7)

Down

1 Unsettle in the mind (7)

2 Elevates morally or spiritually (7)

3 Leaves trapped and alone in an inaccessible place (7)

4 Marked as correct (6)

5 Pulsates (5)

6 Becomes more intense (7)

12 Flatter in an obsequious manner (7)

14 Harsh or corrosive in tone (7)

15 Land area, especially of a farm (7)

16 Edible parts of nuts (7)

17 Fasteners with threaded shanks (6)

19 Marine mammals (5)

Across

1 Sides of the face (6)
4 Interment (6)
7 Heart condition marked by chest pain (6)
8 Glass cylinder closed at one end (4,4)
12 Quagmire (6)
14 Woven shopping bag (6)
15 Trade by exchange (6)
16 Common seasoning (6)
18 Record book (8)
22 Mentally or physically infirm with age (6)
23 Number signified by the Roman LXXX (6)
24 Bone of the forearm (6)

Down

1 Cajole (4)
2 Brainteaser (6)
3 Position (6)
4 Creeping or crawling invertebrates (4)
5 Relaxation (4)
6 Bloodsucking parasites (4)
9 Faintly detectable amount (5)
10 Maker of beer (6)
11 Herb with fragrant leaves (6)
13 Oozes (5)
16 Ship's officer who keeps accounts (6)
17 Held in place, as with a nail (6)
18 Customary observance (4)
19 Advance slowly (4)
20 People in general (4)
21 Long fishes (4)

71

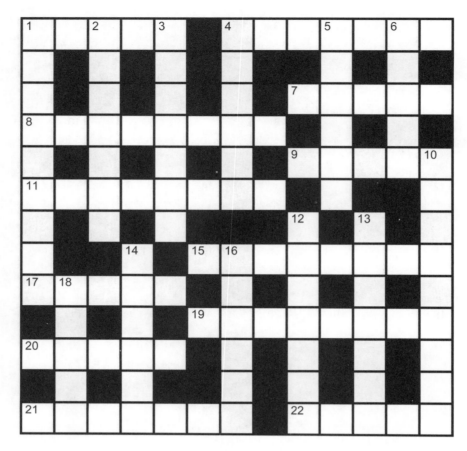

Across

1 Talons (5)

4 Combats (7)

7 Ugly evil-looking old woman (5)

8 Missile filled with fragments (8)

9 Belonging to a city (5)

11 Woody (8)

15 With the side uppermost or towards the viewer (8)

17 Echo sounder (acronym) (5)

19 Owing gratitude or recognition to another for help or favours, etc (8)

20 Hard drink originating in Russia (5)

21 Plant's climbing organ (7)

22 From that time (5)

Down

1 Without end, unremitting (9)

2 Mediocre (7)

3 Sea captain (7)

4 Writing desk (6)

5 Sluggish (6)

6 Boredom (5)

10 Rapid descent by a submarine (5-4)

12 Erases (7)

13 Citadel (7)

14 Branded (6)

16 Rejection (6)

18 Toxic form of oxygen (5)

72

Across

1 Type of embroidery (5-6)
7 Extremely poisonous (8)
8 Mark left by a wound (4)
9 Commotion (6)
11 Bunch of cords tied at one end (6)
13 Motorcycle rider (5)
14 Glossy, smooth (5)
17 Missing (6)
20 Person with special knowledge (6)
22 Collection of facts (4)
23 One million million (8)
24 Cordate (5-6)

Down

1 Gambol, play boisterously (6)
2 Sailing vessel with a single mast (5)
3 Backer (7)
4 Gusset (5)
5 Kegs (5)
6 In a flippant manner (6)
10 Sends by post (5)
12 Strainer (5)
14 *On the Origin of ___*, work by Charles Darwin (7)
15 Brigand (6)
16 Turned away from sin (6)
18 Fill with optimism (5)
19 Coach (5)
21 Bohemian dance (5)

73

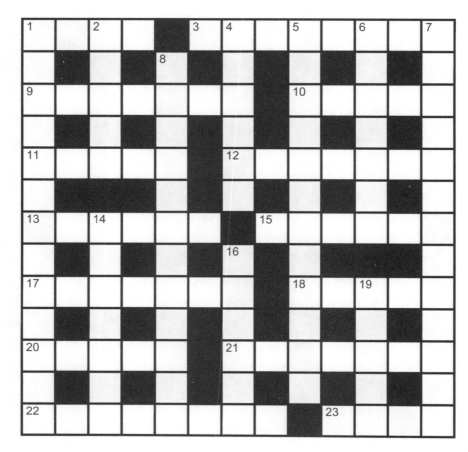

Across

1 Ms Chanel, fashion designer (4)
3 Horizontal rod between two vertical posts (8)
9 Julia ___, actress who appeared in the 2004 movie *Closer* (7)
10 Greek tale teller (5)
11 Remove a lid (5)
12 Debar (7)
13 Caerphilly or Gouda, for example (6)
15 Insect with hard wing cases (6)
17 Childhood disease caused by deficiency of vitamin D (7)
18 Southern US breakfast dish (5)
20 Fight (3-2)
21 Group dedicated to a well-known person or band (3,4)
22 Organised action of making of goods for sale (8)
23 Over, finished (4)

Down

1 Church festival held on the Thursday after Trinity Sunday (6,7)
2 Three-dimensional (5)
4 Brown with a reddish tinge (6)
5 Device used for finding websites (6,6)
6 Small, flat, sweet cake (7)
7 Deserving severe rebuke or censure (13)
8 Absurd (12)
14 Agitated (7)
16 Request (3,3)
19 Inuit dwelling (5)

74

Across

1 Be able to spare (6)
8 Kept apart (8)
9 Predominates, looms (6)
10 Increased in size (8)
11 Number of lines of verse (6)
12 Things being discussed (8)
16 Holidaymakers (8)
18 Take a firm stand (6)
21 Present a danger to (8)
23 Pencil rubber (6)
24 States insincerely (8)
25 Items of bed linen (6)

Down

2 White deposit of ice crystals (5)
3 Large body of water (5)
4 Maladies (8)
5 Painful sore (4)
6 Object that impedes free movement (7)
7 Material used to make concrete (6)
11 Pimple (4)
13 Commercial enterprise (8)
14 Put in order (4)
15 Christian clergymen (7)
17 People or things not already mentioned (6)
19 Condition (5)
20 Perfume (5)
22 Armoured combat vehicle (4)

Across

1 Marked by low spirits (8)

5 Cease (4)

8 Civic leader (5)

9 Producing a sensation of touch (7)

10 Person who has been moved from a dangerous place (7)

12 Political theory advocating an authoritarian hierarchical government (7)

14 Composed of animal fat (7)

16 Drools (7)

18 Give life to (7)

19 Lustre (5)

20 Feat (4)

21 Argue in favour of (8)

Down

1 Lady (4)

2 Full of exultant happiness (6)

3 Record or narrative description of past events (9)

4 Hold in high regard (6)

6 Cause to stumble (4,2)

7 Maintain in unaltered condition (8)

11 Course of appetisers in an Italian meal (9)

12 Emergency care (5,3)

13 Dog-like (6)

14 Climb up (6)

15 Dropsy (6)

17 Gambling stake (4)

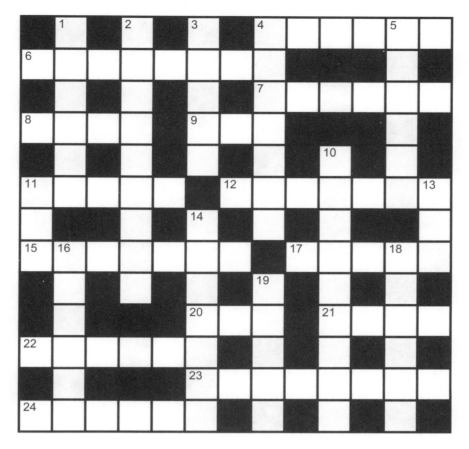

Across

4 Protection (6)

6 Organised collection of related information (8)

7 Alter (6)

8 Assist (4)

9 French vineyard or group of vineyards (3)

11 Doorkeeper (5)

12 Gather crops (7)

15 Area for skating (3,4)

17 Believe in (5)

20 Epoch (3)

21 Highway (4)

22 Point where two lines meet or intersect (6)

23 Height of the ocean's surface (3-5)

24 Cloudburst (6)

Down

1 Provides for (6)

2 Small red fruit (9)

3 Collection of things (5)

4 Concerning those who are not members of the clergy (7)

5 Garment worn on the lower half of the body (6)

10 Non-deciduous (9)

11 Mr Geller, spoon-bender (3)

13 Add up (3)

14 Opposite in nature (7)

16 Silvery metal (6)

18 Placed at intervals (6)

19 Capital of Bolivia (2,3)

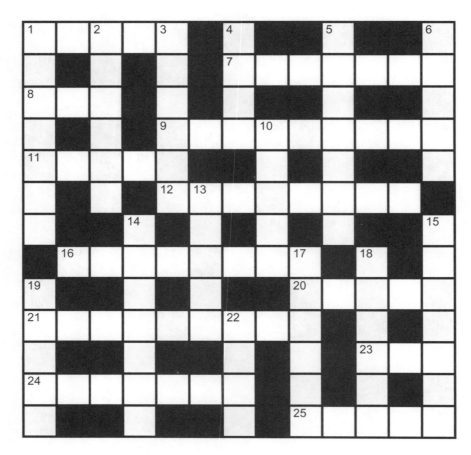

Across

1 Ill-tempered (5)

7 One more (7)

8 Morsel left at a meal, crumb (3)

9 Administrator of a business (9)

11 Melts, as of ice (5)

12 Almost not (8)

16 Dreams up (8)

20 Glaringly vivid (5)

21 Gas used chiefly in welding (9)

23 Israeli submachine-gun (3)

24 Shiny silk-like fabric (7)

25 Hurry (5)

Down

1 Country, capital Zagreb (7)

2 Declare illegal (6)

3 Tension (6)

4 Example, instance (4)

5 Speak haltingly (7)

6 Cooked in oil (5)

10 Marie ___, chemist who discovered radium (5)

13 Cool down (5)

14 Powerful deep-chested dog (7)

15 Woman skilled in aiding the delivery of babies (7)

17 Detective (6)

18 Takes part in a row (6)

19 Convivial gathering (5)

22 Distinctive and stylish elegance (4)

78

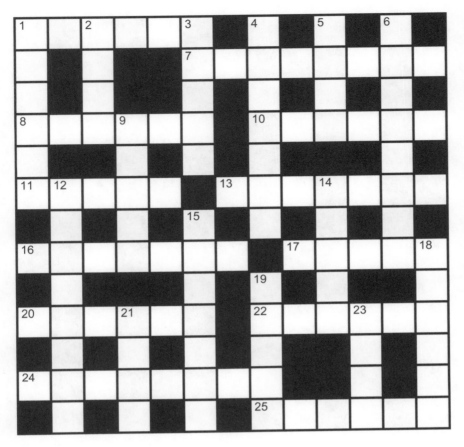

Across

1 Respiratory disorder (6)

7 Mariner (8)

8 Look up to (6)

10 Go on a journey (6)

11 Authoritative proclamation (5)

13 Not one nor the other (7)

16 Item of jewellery (7)

17 Person excessively concerned about propriety and decorum (5)

20 Spanish word for 'tomorrow' (6)

22 Smaller in amount (6)

24 Psychological suffering (8)

25 Source of danger (6)

Down

1 Nocturnal lemur of Madagascar (3-3)

2 Pare (4)

3 Awry (5)

4 Spouse (7)

5 Spanish sparkling white wine (4)

6 Clergyman's title (8)

9 Bring upon oneself (5)

12 Striking (8)

14 Slabs of grass and grass roots (5)

15 Canvas shoe with a pliable rubber sole (7)

18 Trip (6)

19 Partially melted snow (5)

21 Motor car (4)

23 Heroic tale (4)

79

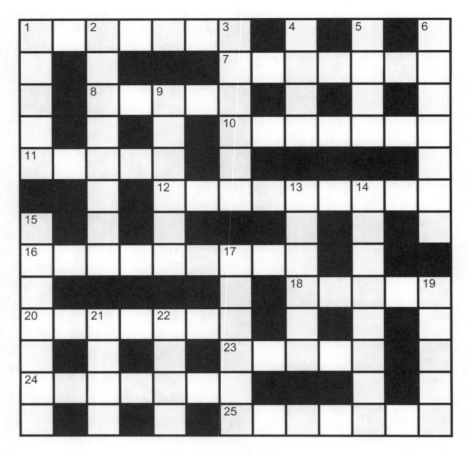

Across

1 Pieces of cloth used to mend a hole (7)
7 Holy war (7)
8 Forced to face or confront one's pursuers (2,3)
10 Subversiveness (7)
11 Brittle fragment (5)
12 Large dog (5,4)
16 Interruption in the intensity or amount of something (9)
18 In front (5)
20 Flavourless (7)
23 Not fixed or appointed (5)
24 Short preview of a film or TV programme (7)
25 Goes on board (7)

Down

1 Inner surfaces of the hands (5)
2 Popular coffee-flavoured liqueur (3,5)
3 Implement for cutting grass (6)
4 Three-dimensional shape (4)
5 Bounders, scoundrels (4)
6 Youth beloved of Hero (7)
9 Small Australian parakeet (abbr) (6)
13 Determines the sum of (6)
14 Family member from the remote past (8)
15 Person who makes and serves coffee (7)
17 Put up with (6)
19 Impurities left in the final drops of a liquid (5)
21 Murder (4)
22 Lacking colour (4)

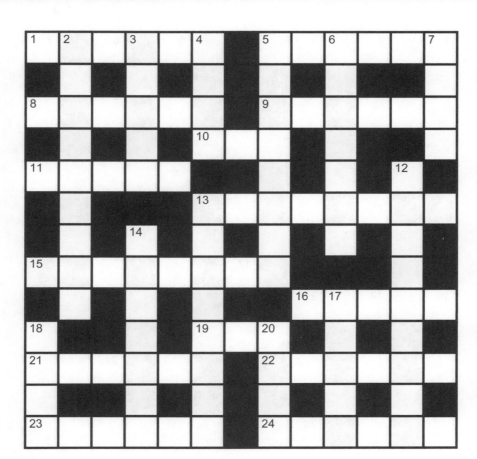

Across
1 Polar feature (6)
5 Consternation (6)
8 Members of the monarchy (coll) (6)
9 Bracing atmosphere by the coast (3,3)
10 Roman god of the sun (3)
11 Person afflicted with Hansen's disease (5)
13 Dish of rice, hard-boiled eggs and flaked fish (8)
15 Not deficient in intellect (coll) (3,5)
16 Reef of coral (5)
19 Pouch (3)
21 Imaginary place considered perfect (6)
22 Absence of enthusiasm (6)
23 Private party in the evening (6)
24 Strategy (6)

Down
2 Something achieved by a narrow margin (5,4)
3 Make sore by rubbing (5)
4 Informal name for a cat (4)
5 Force out from a position (8)
6 Unsteady uneven gait (7)
7 Conical tent of skins used by Mongolian nomads (4)
12 Birthplace of Jesus (9)
13 Something of sentimental value (8)
14 Bung (7)
17 Garbage (5)
18 Soap froth (4)
20 Tight-fitting hats (4)

81

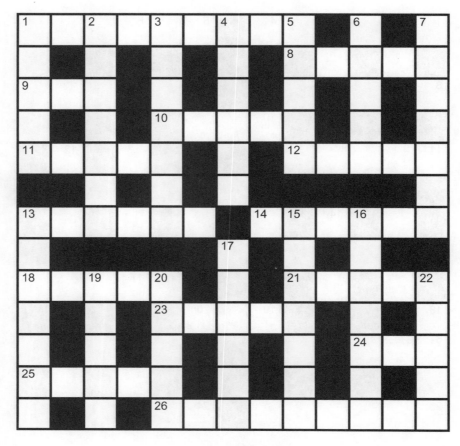

Across

1 Causing momentary alarm (9)
8 Drug addicts (5)
9 Empty space between things (3)
10 German submarine in World War II (1-4)
11 Direct descendant (5)
12 Musical drama (5)
13 Israeli monetary unit (6)
14 Instrumental version of the blues (especially for piano) (6)
18 Summarise briefly (5)
21 Criminal deception (5)
23 Units of land area (5)
24 Large pot for making coffee or tea (3)
25 Construct (a building) (5)
26 Consciousness (9)

Down

1 Wise men (5)
2 Give information or notice to (7)
3 Beat severely (7)
4 Foolishness (6)
5 Hearty enjoyment (5)
6 Fence formed by a row of closely planted shrubs (5)
7 Set apart from others (7)
13 Thin sheet of filled dough rolled and baked (7)
15 In football, beyond a prescribed line or area (7)
16 Tiny grain, of sugar for instance (7)
17 Continent containing Libya (6)
19 Desert animal (5)
20 Tagliatelle or ravioli, for example (5)
22 Natives of Copenhagen, for example (5)

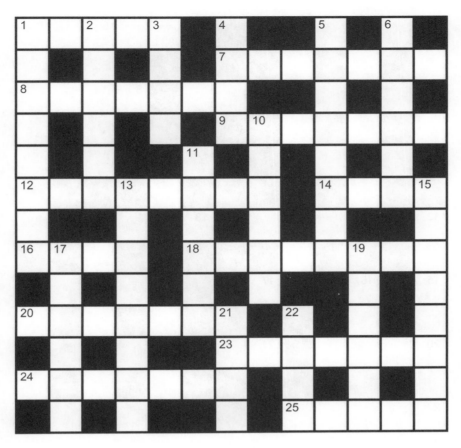

Across

1 Item of bed linen (5)

7 On the way (2,5)

8 Window drape (7)

9 Violent agitation (7)

12 Etch into a material or surface (8)

14 Always (4)

16 Jokes (4)

18 Enjoyable (8)

20 Inaudible (7)

23 Inflammable liquid widely used as an organic solvent (7)

24 Boxes made of cardboard (7)

25 Desert watering hole (5)

Down

1 Feeding on milk (of young) (8)

2 Mistakes (6)

3 Strap with a crosspiece on the upper of a shoe (1-3)

4 One-hundredth of a dollar (4)

5 Optical device for a camera, used to magnify an image (4,4)

6 Endeavour (6)

10 Irregular (6)

11 In the USA, a baby's nappy (6)

13 Music tape container (8)

15 Without mercy (8)

17 Yearly (6)

19 To the opposite side (6)

21 Hyphen (4)

22 Courageous man (4)

83

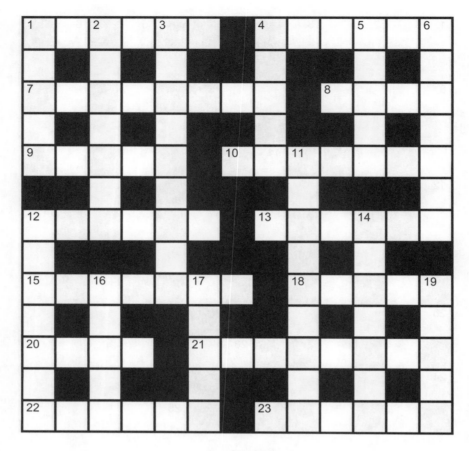

Across

1 Physically strong (6)
4 Small smooth rounded rock (6)
7 Non-commissioned officer in the armed forces (8)
8 Handle (4)
9 Long raised strip (5)
10 Open to doubt or suspicion (7)
12 Former name of Mumbai (6)
13 Indistinct or hazy in outline (6)
15 Accumulation of jobs yet to be dealt with (7)
18 Offensively malodorous (5)
20 Make tight (4)
21 Idle slothful person (8)
22 Natural endowment (6)
23 Sculpture (6)

Down

1 One who drives cars at high speeds (5)
2 Ennui (7)
3 Engage in delaying tactics (9)
4 Rice cooked in well-seasoned broth (5)
5 Small drum played with the hands (5)
6 Diplomatic mission (7)
11 Spanish sport involving matadors, picadors, etc (9)
12 Look after another person's child (7)
14 Allure or entice (7)
16 Grovel (5)
17 Beginning of an offensive (5)
19 Evade (5)

Across

1 Frozen celestial objects that travel around the sun (6)
4 Soak up (6)
7 Throb dully (4)
8 Adolescent (8)
10 Barely (6)
12 Waterless, empty area (6)
14 US term for a water tap (6)
17 Marked by friendly companionship with others (6)
19 Yellowing of the skin (8)
21 Mixer drink (4)
22 Seldom (6)
23 Metal paper fastener (6)

Down

1 Crack in a lip caused usually by cold (4)
2 Protective fold of skin (6)
3 Watchman (6)
4 Be present at (6)
5 Dishes of cold vegetables (6)
6 Practice (9)
9 Stringed Russian instrument (9)
11 Robert E ___, general in the US Civil War (1807-1870) (3)
13 Former name of Tokyo, Japan (3)
15 Savoury appetiser (6)
16 One score and ten (6)
17 Perspires (6)
18 Cinnamon-yielding tree (6)
20 Stun (4)

85

Across

1 Strips of potato fried in deep fat (5)
4 Aircraft pilot's compartment (7)
8 Cold-blooded vertebrate (9)
9 Snub (5)
10 Adroitness in using the hands (9)
13 Break of day (6)
14 Stinging plant (6)
16 Having no definite form (9)
19 Relating to the forearm (5)
20 Of worldwide scope (9)
22 Give the right to (7)
23 Country bumpkin (5)

Down

1 Plant which is the source of tapioca (7)
2 Person involved in the ownership and management of manufacturing concerns (13)
3 Place upright (5)
4 Football trophy (3)
5 Censure severely (5)
6 Nuisance (coll) (4,2,3,4)
7 Piquant (5)
11 Electronic message (5)
12 Military vehicles (5)
15 Force into some kind of situation (7)
16 Relish served with food (5)
17 Kick out (5)
18 Sullen or moody (5)
21 H Rider Haggard novel (3)

Across

1 Cleansing agent (4)

3 Walt Disney film of 1940 (8)

9 Artist's workroom (7)

10 Canal boat (5)

11 Passed out playing cards (5)

12 Twisted at an angle (6)

14 Girdles (6)

16 Commonly repeated word or phrase (6)

18 Decanter (6)

19 Sound (5)

22 Moved slowly and stealthily (5)

23 Explosive powder, usually in strings (7)

24 Dole out (medication) (8)

25 Fluid-filled sac (4)

Down

1 Marked by great carelessness (8)

2 Battleground (5)

4 Apprehend (6)

5 Mealtime etiquette (5,7)

6 Snake (7)

7 Chief port of Yemen (4)

8 Gossip (6-6)

13 Walkway (8)

15 Ability to walk steadily on the deck of a pitching ship (3,4)

17 Barriers serving to enclose an area (6)

20 In a cold manner (5)

21 In golf, played a hole in one stroke (4)

87

Across

1 Frame supporting the body of a car (7)
5 Prejudiced person (5)
8 Person who tries to please or amuse (11)
9 Angry dispute (3-2)
11 Give evidence in a court of law (7)
13 Plausible glib talk (6)
14 Elves (6)
17 State of a person's emotions (7)
18 Turn over (5)
19 Marked by independence and creativity in thought or action (11)
22 Radio set (5)
23 Component part (7)

Down

1 Cause (somebody) to feel happier (5,2)
2 Mr Garfunkel, singer-songwriter (3)
3 Vast plain and National Park in Tanzania (9)
4 Lies obliquely (6)
5 Decree that prohibits something (3)
6 Agent that destroys disease-carrying microorganisms (9)
7 Stomach (coll) (5)
10 Sustenance (9)
12 Specify as a condition or requirement (9)
15 Most unhappy (7)
16 Have a lofty goal (6)
17 Canonised person (5)
20 Tune (3)
21 Wrath (3)

Across

1 Blind temporarily with strong light (6)

5 Natives of Iraq or Jordan, for example (5)

9 Corresponding in function but not in evolutionary origin (9)

10 Chucked (5)

11 In another location (9)

13 Become less light (6)

15 Similar things placed in order (6)

19 Effective manner of speaking (9)

21 Range of mountains (5)

22 Mica (9)

24 Stretching out (5)

25 English author of satirical novels, ____ Waugh (6)

Down

2 Victoria Beckham's former surname (5)

3 Menagerie (3)

4 Guided anti-ship missile (6)

5 Severely simple (7)

6 Capital of Ghana (5)

7 The entertainment industry (4,8)

8 Complex pattern of constantly changing colours and shapes (12)

12 Expression of surprise or mild alarm (3)

14 Latter part of the day (7)

16 Decay (3)

17 Part of a dress above the waist (6)

18 Capital of Vietnam (5)

20 Country which borders France, Switzerland, Austria and Slovenia (5)

23 Unit of gravitational force (3)

89

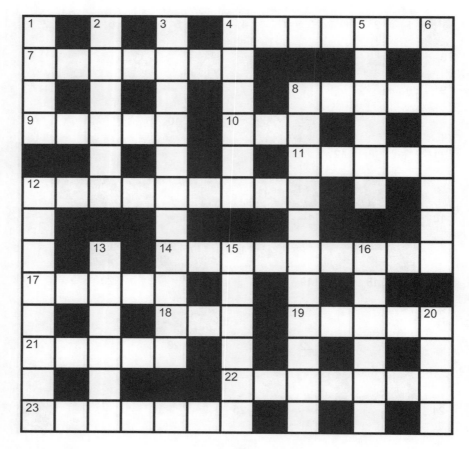

Across

4 Spiritualists' meetings (7)
7 Plane terminal (7)
8 Loose garment worn by Muslim women (5)
9 Foundation (5)
10 Reproductive cells (3)
11 Tendon connecting muscle to bone (5)
12 Disagreeing, especially with a majority (9)
14 Belly button (9)
17 Mr Baggins (5)
18 Large nation (inits) (3)
19 In addition (5)
21 Nipples (5)
22 Unwanted discharge of a fluid (7)
23 Restrain with fetters (7)

Down

1 Wounding or wittily pointed remark (4)
2 Total disaster (6)
3 Obvious to the eye (11)
4 Swimming style (6)
5 Outermost region of the sun's atmosphere (6)
6 George Lucas film of 1977 (4,4)
8 French national holiday celebrated on 14 July (8,3)
12 Disorder marked by the body's inability to produce insulin (8)
13 Domesticated llama (6)
15 Hound dog (6)
16 Short sleep (6)
20 Beers (4)

90

Across

1 Party game enjoyed
  by children (8,5)
7 Metal-containing minerals (4)
8 One who voluntarily
  suffers death (6)
9 Present (5)
10 Animal hunted for food (4)
12 Obedient (6)
13 Climbing plant supporter (5)
15 Abominable snowmen (5)
18 Lines directed to an audience (6)
20 Start again (4)
21 Port city of Japan (5)
22 Reliable (6)
23 Male of domestic cattle (4)
24 Excessively and uncomfortably
  aware of one's appearance
  or behaviour (4-9)

Down

1 On time (6)
2 Irritable (5)
3 Hand tool for boring holes (5)
4 At an unspecified future point (7)
5 In a dangerous, hazardous, or
  delicate situation (coll) (2,4,3)
6 Inner part of a nut (6)
11 Excitable (9)
14 Italian rice dish (7)
16 Descent from the high-
  flown to the mundane (6)
17 Lots and lots (6)
19 Round objects used in games (5)
20 Jewish scholar (5)

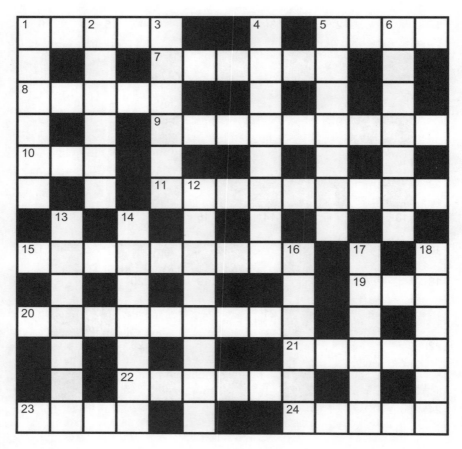

Across

1 Stone writing tablet (5)
5 Rise upward into the air (4)
7 Yellow-flowered tropical tree (6)
8 Flood, rush (5)
9 Native North American tribal emblem (5,4)
10 Biblical first woman (3)
11 Tube of finely ground tobacco wrapped in paper (9)
15 Inadequate in amount or degree (9)
19 Overwhelming feeling of wonder (3)
20 Most disorderly or slovenly (9)
21 Lift (5)
22 Incapable (6)
23 Wagers (4)
24 Boy's name (5)

Down

1 Sibling (6)
2 Astonished (6)
3 Medicine that induces vomiting (6)
4 Give prior notice of a problem (8)
5 Piece of embroidery demonstrating skill with various stitches (7)
6 Power (7)
12 Unfriendly (8)
13 Author's pseudonym (3,4)
14 Extremely savage (7)
16 Leash (6)
17 Not easily borne, wearing (6)
18 One who owes money (6)

Across

1 Scarper (5)
4 Open-topped glass flasks used for serving wine or water (7)
8 Fire residue (3)
9 Dwelling place (9)
10 Australian 'bear' (5)
11 Person who accepts the world as it literally is (7)
13 Equipment used by an angler (7,6)
15 Dealers (7)
17 Atmosphere of depression (5)
19 Lawyers (9)
21 Range of knowledge (3)
22 Large dark low cloud (7)
23 Bear, convey (5)

Down

1 Crude dwelling (5)
2 Warms up again (7)
3 Butter substitute (9)
4 Tills (4,9)
5 Colour (3)
6 Yeasts, mushrooms, etc (5)
7 Ghostly apparition (7)
12 Medicine used to relieve pain (9)
13 Wealthy and privileged people (coll) (3,4)
14 Device attached to a door, rapped to gain attention (7)
16 Behind (5)
18 Currency (5)
20 Deep groove (3)

93

Across

1 Braincase (7)
5 Tubes (5)
8 Rebuke angrily, lambast (11)
9 Mendicant monk (5)
11 White, ant-like insect (7)
13 Characteristic of wolves (6)
14 Bordering (6)
17 Person who receives support and protection from a patron (7)
18 Abrogate (5)
19 Get involved (11)
22 Injured by a nettle (5)
23 Flower associated with alpine regions (7)

Down

1 Cautiously attentive (7)
2 Yearly assembly of shareholders (inits) (3)
3 Lack of knowledge or education (9)
4 Change (6)
5 Leguminous plant (3)
6 Exactness (9)
7 Arctic marten (5)
10 Ad lib (9)
12 Act of spreading outward from a central source (9)
15 Old Spanish ship (7)
16 Making stitches (6)
17 Sensations of acute discomfort (5)
20 Tease (3)
21 ____ Baba (3)

Across

1 Divisive (9)

5 Intentionally so written (used after a printed word) (3)

7 Agitated (6)

8 Compose, formulate (6)

10 Divisions of a week (4)

11 Organise (7)

13 Guarantee as meeting a certain standard (7)

17 Tiny quantity of liquid (7)

19 Capacious bag or basket (4)

21 Plantation (6)

22 Containing salt (6)

23 Form of address to a man (3)

24 Refuse to stop (9)

Down

1 Water-dwelling creature (4)

2 Icon representing a person, used in internet chat and games (6)

3 Treachery (7)

4 Pierce with a lance (5)

5 Underweight (6)

6 Belief in (or acceptance of) something as true (8)

9 Instrument for execution by strangulation (7)

12 Humanity, sympathy (8)

14 Fill to satisfaction (7)

15 Stiff straw hat with a flat crown (6)

16 Discord (6)

18 Pause during which things are calm (3-2)

20 Fund-raising event (4)

Across

1 Carnivorous bird, such as the eagle (6)
5 Scorched (6)
8 Celebrity (4)
9 Obtain by cadging (8)
10 Quantity of twelve items (5)
11 Salad vegetable (7)
14 Design on skin (6)
15 Reaping hook (6)
17 Instructor (7)
19 Middle Eastern nation (5)
21 Slow Cuban dance and song in duple time (8)
23 Kind of cheese (4)
24 ___ dancers, associated with May Day (6)
25 Ring for sealing a pipe joint (6)

Down

2 Early form of sextant (9)
3 Unbearable physical pain (7)
4 Chance (4)
5 A stopping (8)
6 Full-grown (5)
7 Hen's produce (3)
12 Reach a final or climactic stage (9)
13 Desperate (8)
16 Affectation of being demure in a provocative way (7)
18 Position of professor (5)
20 Sudden very loud noise (4)
22 Bustle (3)

Across

1 Felines with slanting blue eyes and creamy coats (7,4)
7 Which person? (3)
8 Like an uncle in kindness or indulgence (9)
9 Water jug (7)
11 Large bird of prey (5)
14 Hunting expedition (6)
15 Wispy white cloud (6)
16 Long noosed rope used to catch animals (5)
19 Devoid of practical purpose (7)
21 Harmless (9)
23 Fairy (3)
24 Rotating fairground ride (6,5)

Down

1 Acute (5)
2 Adult male person (3)
3 Memento (8)
4 Correspond (5)
5 Influenced decisively (5)
6 Own (7)
10 Forms a layer over (5)
12 Pertaining to hearing (5)
13 Cutting implement (8)
14 Paid fighter (7)
17 Gibe, mock (5)
18 Flexible twig of a willow tree (5)
20 Fibre used for making rope (5)
22 Exclamation expressing disgust (3)

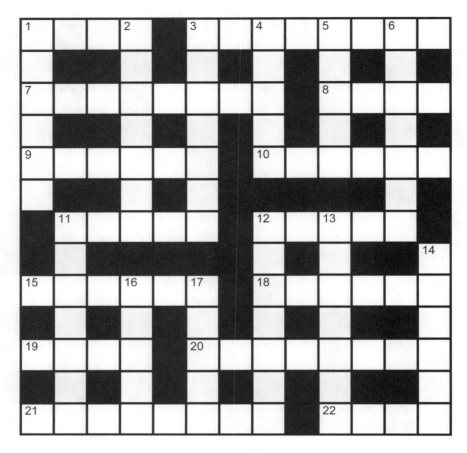

Across

1 Pastry dishes (4)
3 Person who walks past casually or by chance (6-2)
7 Blameless (8)
8 Movable barrier in a fence or wall (4)
9 Shoes with wheels attached (6)
10 French port city on the Loire (6)
11 Wood nymph (5)
12 Condescend (5)
15 Characterised by romantic association (6)
18 Carnivorous marine fishes (6)
19 Taxis (4)
20 Type of gun that shoots pellets (3,5)
21 Room in a church where a priest prepares for a service (8)
22 Condiment, sodium chloride (4)

Down

1 Clergyman (6)
2 In a little while (7)
3 Delighted (7)
4 Lucifer (5)
5 Encourage, cause to act (3,2)
6 Marsh bird of the heron family (7)
11 Series of pictures representing a continuous scene (7)
12 Demolish (7)
13 Slanted letters (7)
14 Facet (6)
16 Weapon that delivers a temporarily paralysing electric shock (5)
17 Common crustaceans (5)

Across

1 Stage item (4)
3 Emphasised (8)
9 Outdoor (4-3)
10 Use a dragnet (5)
11 Austrian composer, ___ Schubert (5)
12 Extremely poisonous substance (7)
13 Deteriorated due to the action of water (6)
15 Breakfast food (6)
18 Purgative made from the dried bark of an American buckthorn (7)
19 Small mouselike mammal (5)
21 Air attack (5)
22 Act of assistance (7)
23 Proof, verification (8)
24 Calls for (4)

Down

1 Present for acceptance or rejection (7)
2 Last letter of the Greek alphabet (5)
4 Three times (6)
5 Seemingly outside normal receptive channels (12)
6 Shore next to the coast (7)
7 Research (5)
8 Bustling, glamorous excitement (6-6)
14 Japanese dish of thinly sliced raw fish (7)
16 Anarchical (7)
17 Astronomical unit of distance (6)
18 Telegraph (5)
20 Falls in droplets (5)

99

Across
1 Swiss cottage (6)
7 Picture made by sticking things together to form a montage (7)
8 Act well or properly (6)
9 Dilute acetic acid (7)
10 Small meat and vegetable turnover of Indian origin (6)
13 Bringing death (5)
15 Piece of land held under the feudal system (4)
16 Large-scale (4)
17 Main artery (5)
18 Exchanging for money of an article previously bought (6)
21 Competition (7)
23 Hardy cereal with coarse bristles (6)
24 Rising current of warm air (7)
25 Irritates the skin leading to a desire to scratch (6)

Down
2 Dog-like nocturnal mammal (5)
3 Mischievous fairies (5)
4 Norse god of mischief (4)
5 Always watchful and alert (9)
6 Intense grief (9)
10 Impair the respiration of (9)
11 Relating to the sense of smell (9)
12 At a distance (4)
14 Rupture (4)
19 Glorify (5)
20 Belgian city (5)
22 Card game (4)

100

Across

1 Flourish (8)

5 Lowest part of the musical range (4)

7 Having hair on the chin (7)

8 Frighten (7)

9 Love story (7)

11 Long jagged mountain chain (6)

14 Profoundly (6)

16 Of legs, to take out of a folded position (7)

18 Submit or live through (7)

21 Well-founded (7)

22 Bird symbolising peace (4)

23 Personality disturbance characterised by a state of unconscious conflict (8)

Down

1 Establishments where alcoholic drinks are served (4)

2 Scour a surface (6)

3 Foolish (4)

4 Sombre (5)

5 Marine crustacean (8)

6 All at once (8)

10 Roman love poet, born in 43 BC (4)

11 Located (8)

12 Make again (8)

13 Tori ___, singer (4)

15 Able to absorb fluids (6)

17 Unglazed leather (5)

19 Beloved person (4)

20 Probabilities (4)

101

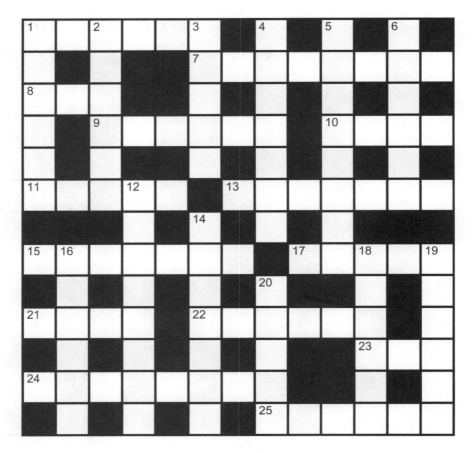

Across

1 Journalist's attribution (2-4)
7 The world of scholars (8)
8 Intent (3)
9 Arch of the foot (6)
10 Presidential assistant (4)
11 Strong sweeping cut (5)
13 Sell illicit products such as drugs or alcohol (7)
15 Apart (7)
17 Doctor in the armed forces (5)
21 Bends the body as a sign of reverence (4)
22 Deliberately causes a delay (6)
23 Garden tool (3)
24 Block of flats (8)
25 Equal portions into which the capital stock of a corporation is divided (6)

Down

1 Elastic straps that hold up trousers (6)
2 Thin plate or layer of bone (6)
3 Foxhole (5)
4 Spear with a shaft and barbed point for throwing (7)
5 Adroitness and cleverness in reply (8)
6 Conundrum (6)
12 Ominous (8)
14 Infectious viral disease (7)
16 Brief period of light rain (6)
18 One of Santa's reindeer (6)
19 Houseplant with colourful leaves (6)
20 Vessels made of logs (5)

102

Across

1 Headband with pads, used for warmth (8)
5 Becomes lustreless (4)
7 Noisy talk (7)
8 Family appellation (7)
9 This evening (7)
11 One who obtains pleasure from inflicting pain on others (6)
14 In a hasty and foolhardy manner (6)
16 Swathe (7)
18 Underwriter (7)
21 Cut into thin slices (5,2)
22 Genuine (4)
23 Male relative (8)

Down

1 Finishes (4)
2 Implement used to clean the barrel of a firearm (6)
3 Bone in the forearm (4)
4 Aspect (5)
5 Debris (8)
6 Prolonged, intense examination (8)
10 Above, beyond (4)
11 Short tube attached to the muzzle of a gun (8)
12 Intermission during a play (8)
13 Tortilla rolled around a filling (4)
15 Crowds (6)
17 Saying: "He who pays the ___ calls the tune" (5)
19 Glance over (4)
20 Part of a horse's harness (4)

103

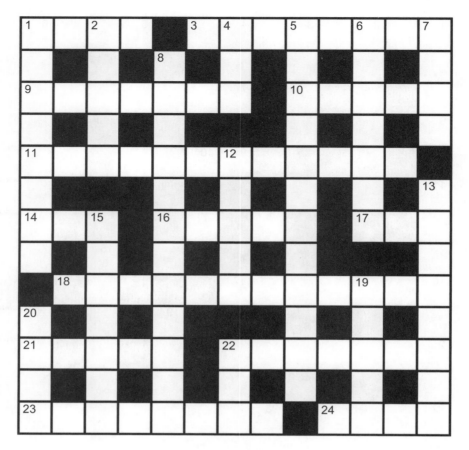

Across

1 Industrious (4)

3 Sharply defined to the mind (5-3)

9 Forming an estimate (7)

10 Possessor (5)

11 Operator of a railway locomotive (6,6)

14 Small insectivorous bird (3)

16 Primitive plant forms (5)

17 High rocky hill (3)

18 Group of diverse companies run as a single organisation (12)

21 Means for communicating information (5)

22 Currency used in Kabul, for example (7)

23 Meaninglessness (8)

24 Give up, relinquish (4)

Down

1 French stick loaf (8)

2 Suspended loosely or freely (5)

4 Fall behind (3)

5 Force released by a nuclear reaction (6,6)

6 Self-love (7)

7 Hoop that covers a wheel (4)

8 System of communication used by the deaf (4,8)

12 Quietly in concealment (5)

13 Presenting matters as they are (4-4)

15 Crushed with the feet (7)

19 Semi-precious stone (5)

20 Prayer-ending word (4)

22 Beast of burden (3)

104

Across

1 Kidnap (6)
7 Eternally (7)
8 Semi-liquid mixture of flour, eggs and milk, used in cooking (6)
9 Molluscs from which pearls are obtained (7)
10 Human being (6)
13 Revolve around (5)
15 Make money (4)
16 Estimation (4)
17 Capital of Oregon, USA (5)
18 Bracelet (6)
21 Powered conveyance that carries people up a mountain (3,4)
23 Planks (6)
24 Spare time (7)
25 Measurement for the fineness of stockings (6)

Down

2 Device used to stop a vehicle (5)
3 Statement of beliefs (5)
4 Small bunch of flowers (4)
5 Pregnancy (9)
6 Thwart (9)
10 Just as it should be (9)
11 Not marked by the use of reason (9)
12 French word for Christmas (4)
14 Explosive device (4)
19 Solitary (5)
20 Home of a beaver (5)
22 Sum charged for riding in a bus (4)

105

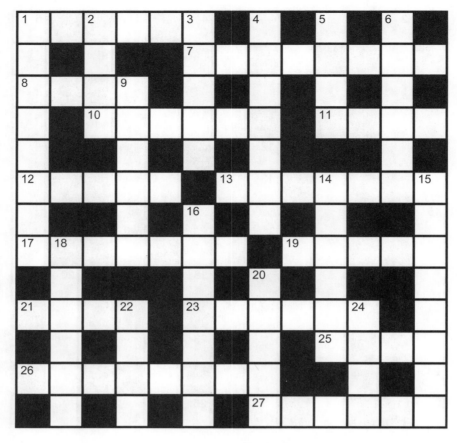

Across

1 Military personnel (6)

7 Additionally (8)

8 Refuse of processed grapes, etc (4)

10 Barbaric, violent (6)

11 Sit tight (4)

12 Eightsome (5)

13 Female spirit of Irish folklore, whose wailing warns of death (7)

17 Relating to extent (7)

19 Functions (5)

21 Fruiting spikes of cereal plants (4)

23 Major river of Brazil (6)

25 Follower of Hitler (4)

26 Denigrate (8)

27 Disturb the smoothness of (6)

Down

1 Fearful, trepid (8)

2 Yours and mine (4)

3 Smudge, daub (5)

4 Armoury (7)

5 Cheats, swindles (4)

6 Censure severely or angrily (6)

9 Warning or proviso (6)

14 Exactly right (4,2)

15 Hold sacred (8)

16 Capital of Indonesia (7)

18 Roller on a typewriter (6)

20 Highland pole (5)

22 Commotion (4)

24 Inferior or worthless, especially in style or taste (slang) (4)

106

Across

1 Act of moving something from its natural environment (12)
9 In a peculiar manner (5)
10 Cause to feel resentment or indignation (5)
11 Add together (3)
12 Military fabric (5)
13 Mass of precious metal (7)
14 Abstain from (6)
16 Equestrian school (6)
20 Type of dog (7)
22 Slender, graceful young woman (5)
24 Indian state, capital Panaji (3)
25 Noise made by a sheep (5)
26 Male relative (5)
27 Period taken by a computer to reply to a command (8,4)

Down

2 Country, capital New Delhi (5)
3 Science subject taught at school (7)
4 Bent outward with the joint away from the body (6)
5 Throw out (5)
6 Title of respect placed after a man's name (7)
7 Link up, connect (3,2)
8 Divided into two branches (6)
15 Roads (7)
17 Violate (7)
18 Reverberated (6)
19 Parts of the body such as the heart, liver, etc (6)
20 Small drum (5)
21 Presentation, briefly (5)
23 Stand-in doctor (5)

107

Across

1 Country, capital Havana (4)
3 Buildings used to house military personnel (8)
9 Personal belief or judgment (7)
10 Egg-shaped object (5)
11 Sugar frosting (5)
12 Cleft (7)
13 Short, pointed beard (6)
15 Continuation of the collar of a jacket or coat (6)
18 Official language of Tanzania (7)
19 Moral principle (5)
21 Made a written record of (5)
22 Outer covering (7)
23 Place of complete bliss (8)
24 Ancient Greek harp (4)

Down

1 Preparing food by heating it (7)
2 Russian pancake (5)
4 Medicinal plant (6)
5 Chief Brazilian port, famous as a tourist attraction (3,2,7)
6 Coated, frozen dessert in the shape of a brick (4-3)
7 Grasslike marsh plant (5)
8 Determined, resolute (6-6)
14 Item which enables something to be used in a way different from that for which it was intended (7)
16 Place out of sight (7)
17 Osculates (6)
18 Dawn (3-2)
20 Extremely exciting (5)

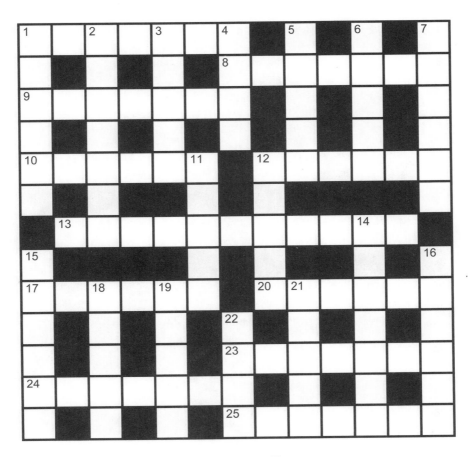

Across

1 Strong fabric used for mattress and pillow covers (7)

8 In a punctual manner (7)

9 Fawning in attitude or behaviour (7)

10 Mystery, riddle (6)

12 Summer shoe (6)

13 Rapid and intense programme of training (5,6)

17 Spine-bearing, succulent plant (6)

20 Pagoda (6)

23 Small guitar with four strings (7)

24 Masses of snow permanently covering the land (7)

25 Female ruler of many countries (7)

Down

1 Chucked (6)

2 Bearer (7)

3 Mode of expression (5)

4 Became larger (4)

5 Molten rock in the Earth's crust (5)

6 Animal with two feet (5)

7 Me in person (6)

11 Longs for (5)

12 Ermine in its brown summer coat (5)

14 Greatest in status (7)

15 Tree with sharp thorns (6)

16 Area set back or indented (6)

18 Assembly of witches (5)

19 Common (5)

21 Provide (5)

22 Ponder (4)

109

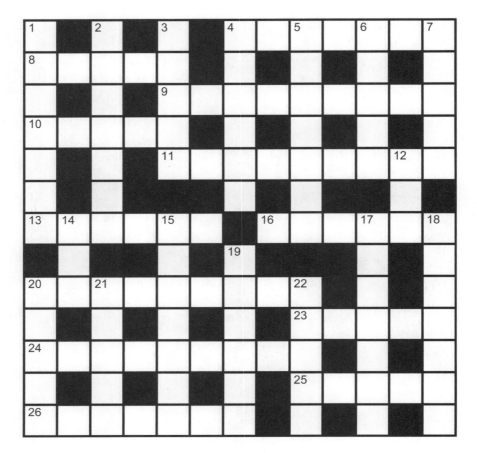

Across

4 Relating to pottery (7)
8 Egyptian water lily (5)
9 Uncontrollable desire to set fire to things (9)
10 Civilian dress worn by a military person (5)
11 Depressing (9)
13 Give a new title to (6)
16 Writing implement (6)
20 Set of steps (9)
23 Light-beam intensifier (5)
24 Scolding (7,2)
25 Fragment (5)
26 Revoke (7)

Down

1 Climb awkwardly (7)
2 Become rigid (7)
3 Savoury jelly (5)
4 Arched (6)
5 Contrition (7)
6 Skin disease affecting domestic animals (5)
7 Packs to capacity (5)
12 Travel across snow (3)
14 Consume food (3)
15 Cocktail (7)
17 Castigate (7)
18 Acquired knowledge (7)
19 Having a sharply uneven outline (6)
20 Indian lute (5)
21 Collection of maps (5)
22 Run off to marry (5)

Across

1 Be fatally overwhelmed (7)
5 Imbecile (5)
8 Male sheep (3)
9 Commercially produced for immediate use (5-4)
10 Gambling game using two dice (5)
12 Compass point (4)
13 Sharp hooked claws (6)
15 Domesticated bovine animals (4)
17 Goad (4)
20 Dry gully (6)
22 Implores (4)
23 Sacked from a job (5)
25 Authoritative (9)
26 Purpose (3)
27 Italian poet famous for writing the *Divine Comedy* (5)
28 Young cats (7)

Down

1 Windstorm that lifts up clouds of dust (7)
2 Fellow member of the Communist Party (7)
3 Disquiet (6)
4 Part of a necklace (4)
6 State of being poorly illuminated or lacking contrast (7)
7 Post a short message on the internet site Twitter (5)
11 Pink-tinged (4)
14 Measure of land (4)
16 Budding (7)
18 Scent (7)
19 Make amends for, remedy (7)
21 Compensate for (6)
22 Sightless (5)
24 Published volume (4)

111

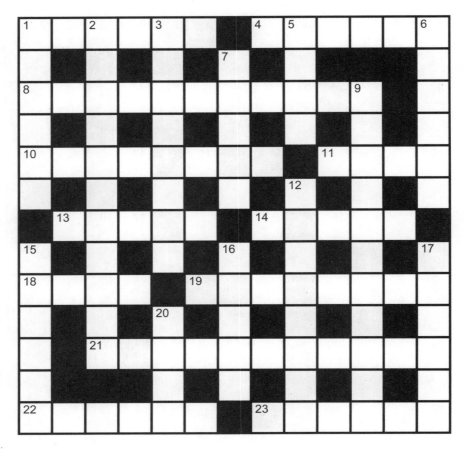

Across

1 Wood prepared for use as building material (6)

4 Women (6)

8 Waterproof knee-length boots (11)

10 Number denoted by the Roman XIX (8)

11 Equipment for the reproduction of sound (2-2)

13 Bedlam (5)

14 Kingly, majestic (5)

18 Tab presented for payment (4)

19 Trellis on which to train a fruit tree (8)

21 Publicly calling attention to (11)

22 Season of the year (6)

23 Appalled (6)

Down

1 Pulling along behind (6)

2 Extreme depression characterised by tearful sadness (11)

3 Action by a landlord that compels a tenant to leave the premises (8)

5 Nautical term used in hailing (4)

6 Apex (6)

7 Looked at with amorous intentions (5)

9 Congenital malformation affecting the backbone (5,6)

12 Taking it easy (8)

15 Counting frame (6)

16 Exorbitant rate of interest (5)

17 Lustrous (6)

20 Level (4)

Across

1 Disturbance, usually in protest (8)

5 In the way indicated (4)

8 Arrangements of thick and thin parallel lines printed onto a commodity (8)

10 Darker region on the solar surface (7)

12 Mete out (5)

13 Portable weapons such as rifles, pistols, etc (5,4)

16 Attacker (9)

20 Sharp, narrow ridge found in rugged mountains (5)

21 Hide (7)

24 Steep descent by an aircraft (8)

25 Master Simpson, cartoon character (4)

26 Father of one's parent (8)

Down

1 Pleasantly optimistic (6)

2 Innocuous (8)

3 Assumes (6)

4 Becomes older (4)

6 Padlock fitting (4)

7 Expresses in words (6)

9 Showing a brooding ill-humour (6)

11 Expanse of salt water (3)

14 Reduced to liquid form (6)

15 Put straight, corrected (8)

16 Great coolness and composure (6)

17 Pretend (3)

18 Inn (6)

19 Decapitate (6)

22 Gelling agent (4)

23 Bellow (4)

1

```
S P I D E R   R A C K E T
  R   E   A   E   H     H
V E I N   G   S C A R C E
  P   S W E E P   M     A
B A K E       O   B A I T
  R   F R A N C E       R
S E T S   E   S   R I P E
E     P L A C E D     A
R A C E   L       M A S K
I     C   I S S U E   S
O R B I T S   A   T E A M
U     A   E   L   E   G
S M I L E D   T U R K E Y
```

2

```
T W E L V E   C   C   C
E   R       S E A S O N A L
S E A     S   R   M   S
T   S Q U A R E   P A T H
E   E     Y   F   U   L
D U S T Y   F U R T H E R
      R   C   L   E
E Q U A T O R   B R A I N
  U   N   B   H     U   E
B E D S   W E A P O N   W
  U   F   E   I     T I E
R E M E M B E R     I   S
  S   R   S   S A F E S T
```

3

```
O D D S   E N C I R C L E
C   R   H   A   N   H   V
C E I L I N G   C H A S E
A   L   P     O   R   N
S E L F P O R T R A I T
I     O   I   P   O   R
O H M   P A T I O   T O E
N   O   O   E   R     S
  O L D T E S T A M E N T
I   D   A     T   X   L
B L O O M   B E E H I V E
I   V   U   O   D   L   S
S N A P S H O T   F E E S
```

4

```
B E A N S   I N S T A L L L
A   D   H A M   T   V   A
K Y L I E   P   E X A C T
E   I   A   M   R   E
L   B A T T L E S H I P
I     H   A       C   S
T E E T E R   A C C E N T
E   Y     B   R     A
  G E N E R A T I O N   R
O   S   A   C   M   O   T
R O O T S   K   S L O P E
B   R   E   E G O   S   R
S T E L L A R   N E E D S
```

5

```
S E R B I A . A . D . B
H . A . . S Q U E E G E E
O M I T . H . C . N . S
W . L A M E N T . S P I T
O . . L . N . I . D .
F L E E T . D O U B L E S
F . N . T . N . O . . E
S O R T O U T . A W A I T
. N . E . W . S . . P
B E T S . S T A V E S . I
. W . E . D . G . R A V E
C A R A P A C E . . G . C
. Y . R . Y . S C H E M E
```

6

```
. I N C O N S O L A B L E .
C . Y . B . E . E . A . N
A T L A S . C . M I T R E
C . O . C O O . U . H . M
T I N G E . N U R S E R Y
U . . . N . D . . R . .
S C A R E D . T O U S L E
. . I . . S . M . . . A
A C R O B A T . I N F E R
N . L . A . R A N . L . N
T W E A K . I . O R A T E
I . S . E . N . N . K . D
C A S H R E G I S T E R .
```

7

```
S T O L E N . U L S T E R
I . F . K . N . A . . I
G U T T E R . D . R . C
H . E . E X E R C I S E
T U N A . P . R . A . U
. S . P I E R C E S . D
W E E P . T . H . T R O T
. F . O R I G A M I . K
. U . I . T . R . C L U B
P L A N T I N G . O . O
A . . T . O . E S C U D O
S . . E . U . . E . S . T
S H A D E S . R E C E S S
```

8

```
S T R I P E D . S . F . B
C . E . H . R E P L I C A
A L A M O D E . E . E . L
L . C . N . W . A L L . L
E N T R E E . B R I D L E
S . O . X . U . . . . T
. T R A D I N G P O S T .
C . . . S . L . U . . H
A C C E P T . E N G I N E
V . E . R . L . C . . I
I . N . O . E C H O I N G
T E T A N U S . R . D . H
Y . S . G . S T U D E N T
```

9

```
D . H . G . P A C I F I C
I M A G O . L . A . U . L
S . R . R E A R R A N G E
B O N U S . Y . N . G . A
A . E . E L E V A T I O N
N . S . R . G . . D . .
D E S I R E . J E T S E T
. M . I . M . . E . W
S U P P O S I N G . V . I
E . H . T . N . R E E F S
A B O R I G I N E . R . T
T . T . N . O . E V A D E
S H O T G U N . D . L . R
```

10

```
S H A D I N G . P A N T S
H . R . N . A . C . . I
A I M . R E N D I T I O N
M . H U . G . R . . G
P I O U S . B . E A S E
O . L . H A R A S S
O W E D . R . T . S T E P
. . E X C E S S . S . F
B I D S . H . I N U R E
L . C . B . E . N . N
I M P E T U O U S . A W N
S . N . S . T . M . I
S E E D Y . S P A R I N G
```

11

```
A B B E S S . C A N D I D
G . . E . B . L . . . A
E M B A R R A S S E D . G
N . A . E . B . O . E . G
D E R A N G E D . I S L E
A . B . A . L . I . P . R
. D A D D Y . A N N E X
C . R . E . B . S . R . V
R O O F . S A B O T A G E
E . U . J . S . M . D . R
A . S P O N T A N E O U S
S . . E . E . I . . . U
E M B R Y O . C A N V A S
```

12

```
S L A N T I N G . L A D S
C . I . A . E . . C . I
R A R E N E S S . E . L
O . S . D . T U N I S I A
L A T H E . . N . . . A G
L . R . M I L L I P E D E
. . I . N . I . . N
D U P L I C A T E . J . B
A . . . H . N A O M I
N A S T I E R . T . Y . G
C . A . S A T I R I S E
E . C . . N . R . N
S A S H . D I V E R G E D
```

13

S	T	A	R	T	E	R		P		E		E
T		M		O			S	A	H	A	R	A
Y		A		N		A		S		G		V
L	E	T	T	E	R	S		S	C	E	N	E
I		E		R		S		K		R		S
S	C	U	D		B	O	R	E	D			
T		R		C		C		Y		R		C
			H	A	B	I	T		B	E	L	L
F		L		S		A		G		C		O
A	B	A	S	H		T	R	I	P	L	E	T
M		B		I		E		A		U		H
E	Y	E	L	E	T			N		S		E
D		L		R		A	R	T	L	E	S	S

14

T	U	R	B	A	N		C	O	N	D	O	R
A		E		S		B		A		I		I
T	R	A	I	T	O	R		V		D		D
T		C		I		R	E	I	S	S	U	E
E	N	T	E	R		O		A		R		R
R		I				N		T	I	C	K	S
		O		C	R	E	P	E		R		
T	A	N	G	O		O			R		R	
H				T		U		S	C	A	L	E
E	N	D	L	E	S	S		T		T		V
S		I		R			L	E	O	N	I	N	E
I		V		I		Y		N		V		R
S	L	A	V	E	R		R	E	L	E	N	T

15

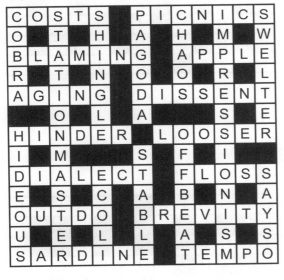

C	O	S	T	S		P	I	C	N	I	C	S
O		T		H		A		H		M		W
B	L	A	M	I	N	G		A	P	P	L	E
R		T		N		O		O		R		L
A	G	I	N	G		D	I	S	S	E	N	T
		O		L		A		S		S		E
H	I	N	D	E	R		L	O	O	S	E	R
I		M		S		F		I				
D	I	A	L	E	C	T		F	L	O	S	S
E		S		C		A		B		N		A
O	U	T	D	O		B	R	E	V	I	T	Y
U		E		L		L		L		A		S
S	A	R	D	I	N	E		T	E	M	P	O

16

	D	R	E	S	S	C	I	R	C	L	E	
O		E		W		A		E		E		H
B		L	A	P	R	O	N		A	G	O	
S	C	A	L	D		P		A		S		R
T		P		D		E		L	O	T	U	S
R	E	S	O	L	U	T	E				E	
U		E		E			L		H		R	
C					B	A	S	I	L	I	C	A
T	R	A	P	S		C		N		J		D
I		U		E		E		S	W	A	M	I
O	D	D		T	I	T	L	E		C		S
N		I		U		I		E		K		H
	C	O	M	P	A	C	T	D	I	S	C	

17

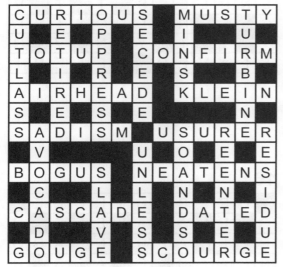

```
T R A F F I C . L . P E T
. I . A . A L O H A . A .
I N C I S O R . S . R . R
. G . T E . S H A F T . .
C L O S E S E T . P . A .
. E . N N . R . E . R . .
S T R E E T . G E N T L E
E . O R . C . S . . A . .
T . Y . F R E T W O R K .
T R A C K . U . R . G . .
L . L E . M E A N D E R .
E . T H R O B . I . L . .
R A Y . B . S Y N O N Y M
```

18

```
P A C I F I S T . A L F A
U A . A . C . P . E . S .
C O R S I C A . S L A B S
E . D . N . L . Y . N . I
. . . S T R E T C H I N G
S . D . H . D . H . N . N
P A I N E D . T I N G L E
E . S . A . B . A . S . D
A F T E R T A S T E . . .
K . R . T . K . R . B . H
E D U C E . I M I T A T E
R . S . D . N . S . G . S
S I T E . E G O T I S T S
```

19

```
C U R I O U S . M U S T Y
U . E . P . E . I . U . .
T O T U P . C O N F I R M
L . I . R . E . S . B . .
A I R H E A D . K L E I N
S . E . S . E . . . N . .
S A D I S M . U S U R E R
. V . U . O . E . . E . .
B O G U S . N E A T E N S
. C . L . L . N . . I . .
C A S C A D E . D A T E D
. D . V . S . S . . U . .
G O U G E . S C O U R G E
```

20

```
C A S S I S . S C R I M P
H . C . T . C . I . . . E
I G U A N A . A . L . . W
C . R . T U N E L E S S .
. D . E U . B . . . T . .
M O U S S E . C O F F E R
. L . H . . N . . . R . .
G L O W E R . S Y S T E M
. A . D . I . H . . O . .
D R O P S H O T . O . . A
A . O . E . C U R S O R .
M . S . R . O . T . . . M
P A P E R S . M I S E R Y
```

21

```
S H R U G ▓ S A T S U M A
T ▓ A ▓ O ▓ N ▓ ▓ E ▓ E ▓
T ▓ P ▓ T ▓ E ▓ N A V A L
T A T T E R E D ▓ B ▓ N ▓
I ▓ U ▓ V ▓ Z ▓ L E A S H
S O R C E R E R ▓ D ▓ ▓ O
T ▓ E ▓ N ▓ ▓ D ▓ C ▓ ▓ R
I ▓ ▓ L ▓ B A S E L E S S
C H E A P ▓ M ▓ P ▓ N ▓ E
▓ ▓ O ▓ T ▓ N E U R I T I S
B O G E Y ▓ N ▓ E ▓ A ▓ H
▓ H ▓ N ▓ D ▓ E ▓ S ▓ U ▓ O
T A C T I C S ▓ S C R E E
```

22

```
S O L A R S Y S T E M ▓ C
C ▓ ▓ M ▓ L ▓ I ▓ L ▓ ▓ L
R E V I S I O N ▓ I D E A
I ▓ ▓ T ▓ P ▓ U ▓ D ▓ ▓ R
B U N Y I P ▓ S L E E V E
E ▓ ▓ O ▓ E ▓ ▓ ▓ Y ▓ ▓ T
▓ B U I L D ▓ D I A R Y ▓
C ▓ ▓ N ▓ ▓ ▓ E ▓ ▓ I ▓ E
A S S A I L ▓ S A T E E N
R ▓ ▓ D ▓ I ▓ E ▓ R ▓ ▓ C
T A X I ▓ V I R G I N I A
O ▓ ▓ E ▓ E ▓ T ▓ T ▓ ▓ S
N ▓ S U B S I S T E N C E
```

23

```
G A L A ▓ S L I C E S U P
E ▓ L ▓ C ▓ O ▓ ▓ U ▓ ▓ R
R O A D H O G ▓ N E R V E
M ▓ M ▓ A ▓ ▓ O ▓ F ▓ ▓ S
A L A R M ▓ F O R C E P S
N ▓ ▓ B ▓ F ▓ A ▓ I ▓ ▓ U
M A I D E N ▓ C R A T E R
E ▓ N ▓ R ▓ U ▓ I ▓ ▓ ▓ E
A R T E M I S ▓ W H O O P
S ▓ E ▓ U ▓ A ▓ I ▓ M ▓ O
L A G O S ▓ B A S M A T I
E ▓ E ▓ I ▓ ▓ L ▓ E ▓ H ▓ N
S P R O C K E T ▓ M A S T
```

24

```
B A N T A M ▓ B ▓ C ▓ R ▓
▓ L ▓ O ▓ ▓ P A N A C E A
M O S A I C ▓ Y ▓ T ▓ M ▓
▓ N ▓ D ▓ H Y S T E R I A
L E S S E E ▓ ▓ ▓ R ▓ S ▓
A ▓ ▓ ▓ ▓ E S P R E S S O
M ▓ ▓ C ▓ S ▓ O ▓ R ▓ ▓ A
P A R A K E E T ▓ ▓ ▓ ▓ S
▓ L ▓ B ▓ ▓ A S S I S T ▓
E L L I P S I S ▓ P ▓ H ▓
I ▓ N ▓ C ▓ H O O K A H ▓
G E N E R A L ▓ ▓ O ▓ M ▓
▓ S ▓ T ▓ B ▓ B A R B E R
```

25

S	O	M	E	R	S	E	T		D	A	M	S
E		I		E		N			Z		H	
E	N	D	U	E		S	A	L	V	A	G	E
N		G		L		U		L			L	
		E		E		R	E	A	G	E	N	T
C	U	T	I	C	L	E		D		A		E
O				T				D		R		R
N		H		E		P	A	R	E	S	I	S
S	L	E	N	D	E	R		E		A		S
I		R				E		S		L		S
D	A	M	A	G	E	S		S	C	U	B	A
E		I				T		E		T		W
R	A	T	E		B	O	N	E	L	E	S	S

26

	H		S		D		R	A	F	T	E	R
H	O	M	E	M	A	D	E				X	
	R		P		Z		T	U	R	B	O	T
B	R	A	T		E	R	R				D	
	O		E		D		E		S		U	
A	R	O	M	A		P	A	P	O	O	S	E
C			B		A		T		D			R
E	N	D	E	M	I	C		C	A	B	L	E
	U		R		M		S		W		I	
	A				L	A	Y		A	C	N	E
A	N	Y	O	N	E		R		T		K	
	C				S	P	I	T	E	F	U	L
C	E	N	S	U	S		A		R		P	

27

S	U	L	K	S		E		C			C
C		A		H		P	I	R	A	N	H	A
A	C	T		A		I		S			M
L		H		R	E	C	T	I	T	U	D	E
P	E	E	V	E		I		L			O
E		R		S	A	N	D	I	E	G	O
L			B		G		A		S		C
	O	V	E	R	A	L	L	S		C	R
A		R		I			I	M	A	G	E
P	O	I	S	O	N	O	U	S		R	E
H		E			U		T		I	M	P
I	N	G	R	E	S	S		E		E	E
D			K		T		R	I	S	E	R

28

F	A	M	O	U	S		B		B		K	
R		A				C	H	A	R	A	D	E	S
A		L			R		T		B		R	
M	O	T	I	V	E		T	R	E	M	O	R
E		N		W		E				S	
D	R	E	A	R		B	R	O	T	H	E	R
	E		N		C		Y		E		N	
L	A	T	E	R	A	L		T	R	I	E	D
	S			N		F		M			U	
M	O	D	E	S	T		J	A	S	P	E	R
	N		S		E		O			A		E
L	E	A	P	Y	E	A	R			C		S
	D		Y		N		D	I	V	E	R	S

Solutions

29

```
S H E L L A C  ·  B Y ·  B
A · N · · O N A R O L L · O
C · T E A T S · R · G · O
K · R · R · M A S C A R A · A
S W A R M · O · · · · T
· · I · P O S T H A S T E · E
F · L · I · · E · T · D
I N S A T I A T E · A
F · · U · D U M P S
T I M E L A G · E · P · E
E · A · I · U N D U E · E
E N G R O S S · D · D
N · I · N · T R I C E P S
```

30

```
O B S E S S · P E S E T A
· R · E · N · R · O · W
Q U A R T O · E A R N E R
· S · I · W I G · T · Y
C H E E K · N · O · A
· W · · E V A L U A T E
· O · B · M · N · T · O
B O T A N I S T · · · N
· D · C · N · A B B E Y
F · K · E A T · A · M
O P T I O N · O Y S T E R
R · N · C · M · R · N
D A N G L E · B E A U T Y
```

31

```
S U R P R I S E D · B · V
A · I · I · A · A G A V E
L · V · B · C · I · D · N
E · U · C A R D S · L · I
S A L S A · E · Y O Y O S
· · E · G · D · · · O
R O T T E N · M A T R O N
A · · · A · R · A
M I N U S · B · R I V E T
P · A · C E A S E · I · A
A · I · A · C · A · O · B
N E V E R · U · A R · L
T · E · F I S H S L I C E
```

32

```
V E I N S · T · C · R
O · D · E · S T E A M E R
C H I M E R A · R · C
A · O · K · R E V E R I E
L · T · A · N · L · P
I N S I G N I A · E W E R
S · D · I · B · S · A
T A K E · M O L A S S E S
· I · N · U · E · N · H
B R I T I S H · S · A · N
· M · I · A S C R I B E
C A N T O N S · U · L S
· N · Y · H · M O S E S
```

33

```
R E C E N T   S T R A N D
E   O   O   P     L     R
P A N O R A M A   R I G A
E   T   T   C     B     W
L E E C H   D E C E I V E
    N   W       O       R
L A D D E R   C A U C U S
U     S       S   O
N A P H T H A   T O N G S
A   U   U     L   G     A
T A R E   S E D I M E N T
I   G   K     N   S     Y
C R E A M Y   R E C T O R
```

34

```
S T U P O R   S E L E C T
U   A   E   C   A   O
C A N T   V   A   U   N
H   O   I R R I G A T E
  G I L   A   H   A
T U S S L E   B O S N I A
  E   I     V     N
C R I S P S   P A S T E L
  R   H   L   P   R
F I R E W O O D   O     A
  L   A   G   L   I B E X
  L   R   A   A   L     L
P A R S O N   R E S I Z E
```

35

```
S Q U I D   A S S I S T S
U   N   R   R   W   O   C
R   D   E X C H E Q U E R
P E E L S   D   T     A
A   R   S P A C E S H I P
S   C   A   O   C
S H A F T S   R I G H T S
    R   H   G     I     A
C H R Y S A L I S       U
H   I   T       C O A T S
I N A M O R A T A   S   A
M   G   R   R   M   E   G
P R E S E N T   P E A C E
```

36

```
S A N D   N A R C O S I S
U   O   E   D   R   E   E
S C H E M E D   O H A R E
P   O   A   L   S   W   D
E D W I N   E A S I E R
N       C   D   C   E   S
S O F F I T   D O O D L E
E   A   P   S   U       N
  I N F A N T   N I G H T
S   M   T   I   T   L   E
C O A T I   F O R L O R N
A   I   O   L   Y   R   C
M A L I N G E R   B Y T E
```

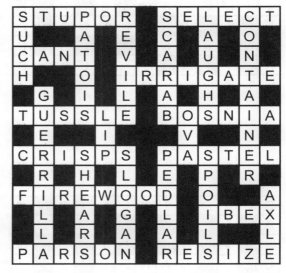

Solutions

37

S	L	E	I	G	H	T		C	O	C	O	A
A		E		R		H		A		A		B
P	E	R	P	E	T	R	A	T	O	R		A
I			A		E			E		E		S
E	G	R	E	T		S	N	A	F	F	L	E
N		A		B		H		N		U		
T	U	C	K	E	R		C	A	L	L	U	S
		I		A		J		E		P		P
S	A	N	G	R	I	A		R	O	Y	C	E
A		G			C			O				C
V		C	H	O	C	K	A	B	L	O	C	K
E		A		A		A		I		W		L
S	T	R	U	T		L	I	C	E	N	C	E

38

	P	H	I	L	I	P		M	A	O	R	I
S		A		E		A		A		N		M
A	I	R	P	I	S	T	O	L		I		M
N		E			R		M	A	C	A	U		N
S	U	M	P	T	U	O	U	S		E		N
E			A		L		E					E
B	A	N	N	E	R		B	Y	P	A	S	S
A			V		B			I				Y
S		F		A	C	O	U	S	T	I	C	S
T	R	A	Y	S		O			T			T
I		B			I	N	T	E	G	R	A	T	E
A		L		V		E		O		L		M
N	I	E	C	E		E	P	O	N	Y	M	

39

O		D		F		B	E	M	U	S	E	D
P	R	O	V	I	S	O			H			E
U		N		R		N		S	E	A	R	S
S	T	A	Y	S		S	R	I		B		I
		T		T		A		S	O	B	E	R
P	R	E	S	C	R	I	P	T		Y		O
L			O			D		E				U
A		R		U	N	D	E	R	P	A	S	S
T	R	E	W	S		I		I		C		
Y		P		I	T	S		N	I	T	R	E
P	R	A	W	N		C		L		U		Y
U		I			U	N	A	W	A	R	E	
S	C	R	E	A	M	S		W		L		S

40

S	A	L	T	A	N	D	P	E	P	P	E	R
U			A		A		I		R		E	
P	A	W	S		K		L	I	K	I	N	G
P			T	E	E	N	S		V		R	
L	O	R	Y		D		N	A	T	I	V	E
Y		O				E			L		T	
	L	A	P	U	P		R	O	G	E	R	
C		D		A				G			G	
L	A	W	Y	E	R		C		B	E	T	A
E		O		V	O	I	L	E			I	
V	I	R	I	L	E		R		S	C	O	T
E		K		N		C		E			E	
R	E	S	T	A	U	R	A	N	T	C	A	R

41

41

```
S H R U B . . T . S L A T
U . U . I S A I A H . D .
B A N N S . R . R . M .
W . N . H E P A T I T I S
A B E . O . M . V . R .
Y . R P E R I M E T E R
. . C . B . L . S . L . R
C A P A C I O U S . M . S
. N . L . G . . E . A F T
S T E A M I R O N . R . R
. A . N . B . S U S H I
. T . C A L I C O . H . K
C A R E . E . . R H Y M E
```

Solutions

42

```
E L F I N . S O P R A N O
V U . U . E V . V . C
E A R . R E L U C T A N T
N . I . S . F . I . O
S C O N E . G Y M S L I P
. U . M . O . A . U
V E S T A L V I R G I N S
E . . . I . E . M .
S L A N D E R . S C A L P
I . I . N . N . G . E
C R O S S W I S E . I O N
L . L . K . N . S . N
E D I T I N G . T H E M E
```

43

```
C E L E S T A . D R A N K
H . A . H . T . I . T . N
A P P O I N T M E N T . I
R . . P . I . . R . . F
T Y R E S . R E S P I T E
E . E . H . E . H . T .
R E V E A L . B A R I U M
. . U . P . T . N . O . I
G A L L E R Y . G E N E S
E . S . . . P . R . . H
N . I N C R I M I N A T E
U . O . A . S . L . N . A
S U N U P . T O A S T E R
```

44

```
L O G I S T I C S . S U M
O . R . W . . T . E . A
S T A M E N . P A M P A S
E . V . E . S . I . T . T
. B E L T . C O R T E G E
P . L . I . E . T . R
O . . R E E N A C T . L
S . C . . E . O . E . Y
S C A M P E R . L A N D .
I . R . R . Y . L . T . C
B E A V E R . S A L I V A
L . T . S . . T . T . V
Y E S . S P A R E T Y R E
```

45

```
A B U S E R   C R E A T E
  O   U   I   O   V   H
S N A G   C L A R I N E T
  V   G   K   L   C   T
D O W E L   D E N T I S T
  Y   S   G   S       T
B A T T L E   C A S U A L
  G       N   E   H   G
T E A C H E R   F A T E D
    H   T   P   R   N
V E R O N I C A   P E A K
  V   P   C   I   E   M
S E P S I S   L A N C E R
```

46

```
A W K W A R D N E S S   B
L   A   E   N     A N A
O U R S E L V E S   L V   N
U       I     U   V   N
D E A D S E A   E M O T E
    R   V   T   A     R
B E C O M E   E G R E S S
A   P   D   R   K
S M A S H   A M U S I N G
H   L   O     I     U
F   O   T R A N S P I R E
U F O   E   U   E   S
L   F A L S E S T A R T S
```

47

```
P L U S   E N V E L O P E
R     A   X   N   I   E
A P P L E P I E   M A T E
I   T   L   C   B   R
S T O P G O   K A O L I N
E   A   I         F
  T E N E T   D O P E Y
  A     E   O     A
O L D M A N   C A V E R N
  L   A   O   I   E   G
C Y A N   S I D E R E A L
  H   I     E   T   E
C O N C E D E D   Y A R D
```

48

```
T U B E   F I N A N C E S
U   U   U   N   G   I   M
R E M I N D S   R A N G E
K   P   B   I   I   E   L
I S S U E   D E C I M A L
S     L   E   U   A
H E R O I C   C L O S E R
    E   E   I   T     E
N A T I V E S   U P S E T
E   U   A   L   R   H   R
S C R U B   A L A B A M A
T   N   L   N   L   L   C
S U S P E N D S   S L I T
```

49

```
V A N I T Y . B . T . . E
. L . R . P Y J A M A S
C O M P E L . R . K . S
. N . S . B E R E A V E
A G E I S M . . S . . N
R . N . A S C I I . . T
M A S S . L . A . D E L I
I . . T W I L L . E . A
S . . I . . F I S C A L
T W I T T E R . M . L
I . U . A . O B T A I N
C A P T U R E . U . K
E . . E . N D E N I E R
```

50

```
B L O W P I P E . M O D E
I . B . A . . U . . T
I N . T . I . N O U R I S H
S T U N N E D . . D . . I
. . S . . A L L E G R O
S E E S A W . A . R . . P
Y . . P . A . C . E . . I
M . . A L . E R R A T A
P A P R I K A . . M
A . . K . S U S P E C T
T B I L I S I . A . L . R
H . . E . . D . F . I . E
Y E A R . R E L E G A T E
```

51

```
S M A R T S . M . T . B
H . V . C R E D I T O R
A K A . R . A . M . A
K . T H E I R S . E L S E
E . A . M . L . L . T
S P R A Y . R E V E R S E
. . R . F . S . S
F L O T S A M . O S I E R
. E . I . R . R . N . H
C A N S . T H A N K S . E
. D . T . H . I . A S S
R E G I M E N T . N . U
. R . C . R . A L I E N S
```

52

```
. P . L . B . P E A K E D
D E B O N A I R . . . M
. T . O . S . E A G L E S
B A T S . E L M . . R
. L . E D . I . M . G
A S T E R . R E G I M E N
P . N . C . R . L . A
T O D D L E R . H E F T Y
. B . S . R . A . S . A
. L . . T O O . T U R N
M A R I N A . R . O . G
. T . . I N T E N D E D
B E A C O N . A . E . T
```

53

```
L A S H   W I R E L E S S
I   E   M   C   A   M   K
S P E C I F Y   S L I C E
T   R   S     T   N   P
E X S E R V I C E M E N
N     E   C   R   N   I
E F T   P R O P S   T A D
R   E   R   N   U     L
  U N R E A S O N A B L E
B   S   S     D   R   N
R A I S E   C H A R A D E
E   L   N   U   Y   V   S
W R E S T L E R   B O O S
```

54

```
L I T R E   S E A L A N T
A   I   D O T   B   C   A
R A D I I   A   O N A I R
G   E   F   R   D   D   N
E   S W I N E F E V E R
S     C   D   M   B
S U P P E R   C A M E R A
E   E   S M   R
  P R O S C E N I U M   O
T   T   T   R   A   A   N
O V A R Y   E   B O R N E
P   I   L   N I L   C   S
S I N C E R E   E T H O S
```

55

```
B A L T I C   M   S   F
E   I   R O A D K I L L
S P A M   O   R   I   A
O   R A G O U T   T O G A
T   N   K   I       O
T A S T E   U N S O U N D
E     I   T   I   P   E
D O G S T A R   A E G I S
    F   B   L   N   O
A F R O   L E A V E S   L
  C   B   O   Y   R H E A
S U R E F I R E   U   T
    T   Y   D R A T T L E
```

56

```
  E L E C T R O L Y S I S
E   O   O   U   A   T   O
L O C K S   S   P H I A L
O   A   T A T   E   P   E
P I L A U   I L L N E S S
E       M   C       N
S H A V E R   S T U D I O
    T       P   O       N
A I R L I N E   E M B E R
N   O   N   S E C   R   U
J A P A N   T   A R A B S
O   O   E   E   P   U   H
U N S U R P R I S I N G
```

57

A	B	S	E	I	L		S	P	I	N	E	T
W		P		F		A		N		T		A
A	F	R	E	S	H		F		T			L
K		I		O	M	E	L	E	T	T	E	
E	D	G	E		R		T		R		A	
	E		M	A	R	T	Y	R	S		K	
K	N	O	B		O		G		E	Y	E	D
	O		A	C	R	Y	L	I	C		U	
	T		R		F		A			T	A	P	E
N	E	A	R	M	I	S	S		B		V	
E		A		L			S	T	R	I	P	E
A		S		M			E		D		R	
T	R	U	S	T	S		N	A	M	E	L	Y

58

B	A	G	G	A	G	E		A		B		B
O		E		P		M	E	S	S	A	G	E
P	U	N	J	A	B	I		S		L		A
E		E		R		R		A		S		K
E	R	S	A	T	Z		G	Y	R	A	T	E
P		I		O		L						R
	E	S	S	E	N	T	I	A	L	L	Y	
B				A		D		E				C
A	S	T	R	A	L		E	C	Z	E	M	A
T		A		B		E		A		T		R
T		B		O		R	A	G	T	I	M	E
E	M	B	A	R	G	O		E		D		S
N		Y		T		S	H	Y	N	E	S	S

59

M		P		A		S	L	U	M	B	E	R
A	M	A	S	S		H		P		R		A
L		R		P	R	E	O	R	D	A	I	N
L	I	T	H	E		R		A		G		K
A		I		N	A	R	C	I	S	S	U	S
R		N		Y		S		S		S		
D	E	G	R	E	E		T	E	A	S	E	T
		C		X		M		E		R		
B	O	S	S	A	N	O	V	A		V		E
A		C		M		U		S	T	E	P	S
G	L	A	D	I	O	L	U	S		N		T
E		N		N		D		E	X	T	O	L
L	O	T	T	E	R	Y		T		Y		E

60

P	A	S	S	I	V	E		S	C	O	O	P
E		U		N		A		A		L		L
A	I	R		N	O	S	T	A	L	G	I	A
S		P		A		T		Y				T
A	L	L	O	T			B		P	U	R	E
N		U		E	M	B	O	S	S			
T	O	S	S		E		A		O	G	L	E
				C	H	E	E	R	S		R	R
D	O	S	E		K			E	L	I	T	E
O			P			D		A		M		M
W	H	I	T	E	L	I	E	S		A	L	I	T
N			R			S		O		C		T
S	L	E	E	T		C	O	N	V	E	N	E

61

```
F A C E S . B A S K E T S
E . M A . T . . . . . E
A P P R O P R I A T E . I
R . E . O . K . Y . V . Z
E N T I T L E D . L A N E
D . R . H . D . C . P . D
. B O N E S . S H O O K .
A . L . D . U . E . R . R
S T E M . I N C R E A S E
L . U . A . T . R . T . N
E . M A G N I F I C E N T
E . . . E . E . E . . . E
P R A I S E D . S W O R D
```

62

```
C A P A C I T Y . H I G H
H . R . H . O . . D . . O
O P E R A T E S . L . . R
O . P . S . S P I D E R S
S H A D E . O . . . . . E
E . R . S P A N I A R D S
. . E . . O . G . E . .
P O S T P O N E S . L . C
A . . . R . . P I A N O .
D E S I R E D . A . T . V
D . . I . . R O A D S I D E
L . . G . . L . E . V . R
E C H O . C L U S T E R S
```

63

```
T H R O U G H . D . L . V
A . E . R . D I V I N E .
D . G . G . P . S . G . R
P L A T E A U . A S H E S
O . T . D . B . R . T . E
L O T S . B L A M E . . .
E . A . S . I . S . F . P
. . . M A R S H . B E A R
U . J . M . H . E . A . A
S T O O P . E L D E R L Y
E . L . L . D . G . F . E
U G L I E R . . E . U . R
P . Y . S . I N S U L T S
```

64

```
S K O P J E . L A M B D A
P . R . I . G . M . O . L
L E A T H E R . O . W . W
A . T . A . A M N E S I A
S T O O D . N . G . . . Y
H . R . D . . S E C T S .
. . I . A D M I T . A . .
F L O E S . A . . L . W
R . . K . S . S T A S H
A D A M A N T . M . M . I
C . B . N . E M O T I O N
A . E . C . R . K . N . G
S U D D E N . R E C E D E
```

65

```
R A D I O   S A D N E S S
O   E   V   P     I   A   T
A R T D E C O   V I S O R
S   E   R   U   A   T   A
T I R E S   S I N K S I N
    M   E   E       O   G
P R I M E D   R E F U T E
I   N       R   A   T
T E A C A K E   R E H A B
E   T   L   B   M   E   E
O U I J A   E M A N A T E
U   O   M   L   R   S   F
S I N U O U S   K I T T Y
```

66

```
  N E W Y E A R S D A Y
L   N   O D T   C   M
E G   U S A G E   O N E
G R A I N   G   A   R   A
I   G   G I   M O N K S
S K E L E T O N       U
L   D   R     N   M   R
A       L E M O N A D E
T R E N D   R   N C   M
I   E   U   O   P L A C E
O E R   M E D A L   B   N
N   I   B   E   U   R   T
  R E P O S S E S S E D
```

67

```
A C C U S A L   A   L A B
  H   P   E M C E E   O
C O N F E S S   I   G T
  L   C   S   D E A T H
B E D L I N E N   T   E
  R   M   N   A   E   R
C A S K E T   P L I E R S
O   O   N   T   I   O
S   L   D E C E M B E R
T R O O P   A   N   D
A   I   R   S P A T T E R
R   S H A L E   T   E
S A T   M   R E E N T R Y
```

68

```
S T R I C K E N   B O G S
L   E   R   N   C   U   T
A M A Z I N G   R O T O R
M   D   T   A   O   S   U
      D I S G U S T I N G
C   C   C   E   S   D   G
H E R B A L   R E P E A L
A   I   L   P   X   R   E
I M M E M O R I A L
N   I   A   O   M   C   T
S O N G S   F R I G A T E
A   A   S   I   N   G   A
W O L F   E T H E R E A L
```

69

```
P L U M M E T   B L A D E
E   P   A   I   E   E
R U L E R   C H A N C E S
T   I   O   K   T   P
U N F R O Z E   S A F E R
R   T   N   D       N
B A S E S T   D A M A S K
  D       S   C   C   E
A U N T S   C L E A R E R
  L   E   R   R   E   N
H A U L A G E   B L A R E
  T   L   W   I   G   L
B E N D S   S U C C E S S
```

70

```
C H E E K S   B U R I A L
O   N   T   U   E     I
A N G I N A   G   S   C
X     G   T E S T T U B E
  L   M   U   R     R
M O R A S S   B A S K E T
  V     E     C     W
B A R T E R   P E P P E R
  G     P   U   I   R
R E G I S T E R   N   E
I   N   H   S E N I L E
T   C   E   E   E     L
E I G H T Y   R A D I U S
```

71

```
C L A W S   B A T T L E S
E   V   K   U   O     N
A   E   I   R   C R O N E
S H R A P N E L   P   U
E   A   P   A   C I V I C
L I G N E O U S   D     R
E   E   R     D   B   A
S   M   E D G E W A Y S
S O N A R   E   L   S   H
  Z   R   I N D E B T E D
V O D K A   I   T   I   V
  N   E   A   E   O   V
T E N D R I L   S I N C E
```

72

```
C R O S S S T I T C H   A
A   L   P   N   A     I
V E N O M O U S   S C A R
O     O   N   E   K   I
R U M P U S   T A S S E L
T   A   O         I   Y
  B I K E R   S L E E K
B   L       P   V   A
A B S E N T   E X P E R T
N   L     C   O     O
D A T A   T R I L L I O N
I     T   O   E   K   E
T   H E A R T S H A P E D
```

73

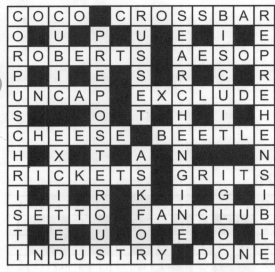

C	O	C	O		C	R	O	S	S	B	A	R
O		U		P		U	E		E		I		E
R	O	B	E	R	T	S		A	E	S	O	P
P		I		E		S		R		C		R
U	N	C	A	P		E	X	C	L	U	D	E
S				O		T		H		I		H
C	H	E	E	S	E		B	E	E	T	L	E
H		X		T		A		N				N
R	I	C	K	E	T	S		G	R	I	T	S
I		I		R		K		I		G		I
S	E	T	T	O		F	A	N	C	L	U	B
T		E		U		O		E		O		L
I	N	D	U	S	T	R	Y		D	O	N	E

74

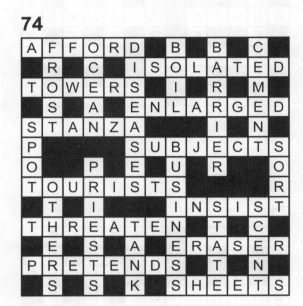

A	F	F	O	R	D		B		B		C	
	R		C		I	S	O	L	A	T	E	D
T	O	W	E	R	S		I		R		M	
	S		A		E	N	L	A	R	G	E	D
S	T	A	N	Z	A				I		N	
P					S	U	B	J	E	C	T	S
O			P		E		U		R			O
T	O	U	R	I	S	T	S					R
	T		I				I	N	S	I	S	T
T	H	R	E	A	T	E	N		T		C	
	E		S		A		E	R	A	S	E	R
P	R	E	T	E	N	D	S		T		N	
	S		S		K		S	H	E	E	T	S

75

D	E	J	E	C	T	E	D		S	T	O	P
A		O		H		S			R		R
M	A	Y	O	R		T	A	C	T	I	L	E
E		O		O		E			P		S
		U		N		E	V	A	C	U	E	E
F	A	S	C	I	S	M		N		P		R
I			C				T					V
R		C	L		A	D	I	P	O	S	E
S	L	A	V	E	R	S		P		E	
T		N			C		A		D		A
A	N	I	M	A	T	E		S	H	E	E	N
I		N			N		N		T		M		T
D	E	E	D		A	D	V	O	C	A	T	E

76

	C		R		B		S	A	F	E	T	Y
D	A	T	A	B	A	S	E				I	
	T		S		T		C	H	A	N	G	E
H	E	L	P		C	R	U				H	
	R		B		H		L		E		T	
U	S	H	E	R		H	A	R	V	E	S	T
R		R		I		R		E				O
I	C	E	R	I	N	K		T	R	U	S	T
	H		Y		V		L		G		P	
	R			E	R	A		R	O	A	D	
C	O	R	N	E	R		P		E		C	
	M			S	E	A	L	E	V	E	L
D	E	L	U	G	E		Z		N		D	

Solutions

77

C	R	O	S	S		C			S			F
R		U		T		A	N	O	T	H	E	R
O	R	T		R		S		U				I
A		L		E	X	E	C	U	T	I	V	E
T	H	A	W	S		U		T				D
I		W		S	C	A	R	C	E	L	Y	
A		M		H		I		R				M
	I	M	A	G	I	N	E	S		A		I
P		S		L			L	U	R	I	D	
A	C	E	T	Y	L	E	N	E		G		W
R		I		L		L	U			U	Z	I
T	A	F	F	E	T	A		T		E		F
Y		F		N		H	A	S	T	E		

78

A	S	T	H	M	A		P		C		R	
Y		R			S	E	A	F	A	R	E	R
E		I		K		R		V		V		
A	D	M	I	R	E		T	R	A	V	E	L
Y			N		W		N		R			
E	D	I	C	T		N	E	I	T	H	E	R
	R		U		S		R		U		N	
E	A	R	R	I	N	G		P	R	U	D	E
	M			E		S		F			R	
M	A	N	A	N	A		L	E	S	S	E	R
	T		U		K		U			A		A
D	I	S	T	R	E	S	S			G		N
	C		O		R		H	A	Z	A	R	D

79

P	A	T	C	H	E	S		C		C		L
A		I				C	R	U	S	A	D	E
L		A	T	B	A	Y		B		D		A
M		M		U		T	R	E	A	S	O	N
S	H	A	R	D		H						D
		R		G	R	E	A	T	D	A	N	E
B		I		I			O		N			R
A	B	A	T	E	M	E	N	T		C		
R				N		A	H	E	A	D		
I	N	S	I	P	I	D		L		S		R
S		L		A		U	N	S	E	T		E
T	R	A	I	L	E	R				O		G
A		Y		E		E	M	B	A	R	K	S

80

I	C	E	C	A	P		D	I	S	M	A	Y
	L		H		U		I		T		U	
R	O	Y	A	L	S		S	E	A	A	I	R
	S		F		S	O	L		G		T	
L	E	P	E	R			O		G		B	
	C				K	E	D	G	E	R	E	E
	A		S		E		G		R		T	
A	L	L	T	H	E	R	E			H		
	L		O		P			A	T	O	L	L
S			P		S	A	C		R		E	
U	T	O	P	I	A		A	P	A	T	H	Y
D			E		K		P		S		E	
S	O	I	R	E	E		S	C	H	E	M	E

81

```
S T A R T L I N G . H . I
A . P . R . D . U S E R S
G A P . O . I . S . D . O
E . R . U B O A T . G . L
S C I O N . C . O P E R A
. . S . C . Y . . . . . T
S H E K E L . B O O G I E
T . E . A . F . R . . . .
R E C A P . F . F R A U D
U . A . A C R E S . N . A
D . M . S . I . I . U R N
E R E C T . C . D . L . E
L . L . A W A R E N E S S
```

82

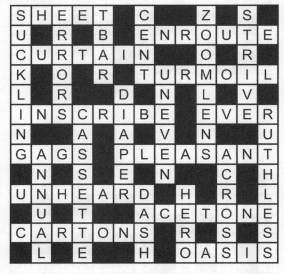

```
S H E E T . C . Z . S
U . R . B . E N R O U T E
C U R T A I N . O . R
K . O . R . T U R M O I L
L . R . D . N . L . V
I N S C R I B E . E V E R
N . . A . A . V . N . U
G A G S . P L E A S A N T
. N . S . E . N . C . H
U N H E A R D . H . R . L
. U . T . A C E T O N E
C A R T O N S . R . S . S
. L . E . H . O A S I S
```

83

```
R O B U S T . P E B B L E
A . O . T . I . O . . M
C O R P O R A L . K N O B
E . E . N . A . G . . A
R I D G E . D U B I O U S
. . O . W . U . . . S
B O M B A Y . B L E A R Y
A . . L . . L . T . .
B A C K L O G . F E T I D
Y . R . N . I . R . O
S E A L . S L U G G A R D
I . W . E . H . C . G
T A L E N T . S T A T U E
```

84

```
C O M E T S . A B S O R B
H . Y . E . T . A . E
A C H E . N . T . L . H
P . L . T E E N A G E R
. B . I . R . N . D . A
H A R D L Y . D E S E R T
. L . E . . D . . S
F A U C E T . S O C I A L
. L . A . H . W . A . L
J A U N D I C E . S . D
. I . A . R . A . S O D A
. K . P . T . A . I . Z
R A R E L Y . S T A P L E
```

85

```
C H I P S . C O C K P I T
A . N . T . U . H . A . A
S . D . A M P H I B I A N
S P U R N . . D . N . G .
A . S . D E X T E R I T Y
V . T . M . A . N . . . .
A U R O R A . N E T T L E
. I . . I . K . H . . M .
S H A P E L E S S . E . B
A . L . J . . U L N A R .
U N I V E R S A L . E . O
C . S . C . H . K . C . I
E N T I T L E . Y O K E L
```

86

```
S O A P . F A N T A S I A
L . R . T . R . A . E . D
A T E L I E R . B A R G E
P . N . T . E . L . P . N
D E A L T . S K E W E D .
A . . L . T . M . N . P .
S A S H E S . M A N T R A
H . E . T . F . N . . V .
. C A R A F E . N O I S E
A . L . T . N . E . C . M
C R E P T . C O R D I T E
E . G . L . E . S . L . N
D I S P E N S E . C Y S T
```

87

```
C H A S S I S . B I G O T
H . R . E . L . A . E . U
E N T E R T A I N E R . M
E . . E . N . . M . . M .
R U N I N . T E S T I F Y
U . U . G . S . T . C . .
P A T T E R . P I X I E S
. R . T . A . P . D . A .
S P I R I T S . U P E N D
A . T . . P . L . . D . .
I . I M A G I N A T I V E
N . O . I . R . T . R . S
T U N E R . E L E M E N T
```

88

```
. D A Z Z L E . A R A B S
K . D . O . X . U . C . H
A N A L O G O U S . C . O
L . M . . C . T H R E W .
E L S E W H E R E . A . B
I . . E . T . R . . U . .
D A R K E N . S E R I E S
O . . V . B . O . . I . .
S . H E L O C U T I O N .
C H A I N . D . . T . E .
O . N . I S I N G L A S S
P . O . N . C . E . L . S
E K I N G . E V E L Y N .
```

89

```
B . C C . S E A N C E S
A I R P O R T . . O . T
R . I . N . R . B U R K A
B A S I S . O V A . O . R
. . I . P . K . S I N E W
D I S S I D E N T . A . A
I . . . C . . . I . R . R
A . A . U M B I L I C U S
B I L B O . E . L . A . .
E . P . U S A . E X T R A
T E A T S . G . D . N . .
E . C . . L E A K A G E .
S H A C K L E . Y . P . S
```

90

```
P O S T M A N S K N O C K
R . . E . U . O . N . . E
O R E S . G . M A R T Y R
M . . T H E R E . H . . N
P R E Y . R . D O C I L E
T . M . . . . A . N . . L
. B O W E R . Y E T I S .
B . T . I . . . . C . . O
A S I D E S . B . R E D O
T . O . O S A K A . . . D
H O N E S T . L . B U L L
O . A . T . L . B . . . E
S E L F C O N S C I O U S
```

91

```
S L A T E . . . F . S O A R
I . M . M I M O S A . B . .
S P A T E . . R . M . I . .
T . Z . T O T E M P O L E .
E V E . I . W . L . I . . .
R . D . C I G A R E T T E .
. P . V . N . R . R . Y . .
D E F I C I E N T . T . D .
. N . C . M . E . A W E . .
U N T I D I E S T . X . B .
. A . O . C . . H O I S T .
. M . U N A B L E . N . O .
B E T S . L . . . R O G E R
```

92

```
S C R A M . C A R A F E S
H . E . A . A . E . U . P
A S H . R E S I D E N C E
C . E . G . H . . G . . C
K O A L A . R E A L I S T
. . T . R . E . N . . . R
F I S H I N G T A C K L E
A . N . I . L . N . . . .
T R A D E R S . G L O O M
C . F . . T . E . C . . O
A T T O R N E Y S . K E N
T . E . U . R . I . E . E
S T R A T U S . C A R R Y
```

93

```
C R A N I U M   P I P E S
A   G   G U   E   R     A
R E M O N S T R A T E   B
E     O   A   C     L
F R I A R   T E R M I T E
U   M   A   E     A   S
L U P I N E   E D G I N G
  R   C   S   I   O   A
P R O T E G E   A N N U L
A   M     W   T     L
I   P A R T I C I P A T E
N   T   A   N   O   L   O
S T U N G   G E N T I A N
```

94

```
F R A C T I O U S   S I C
I   V   R     P   K   R
S H A K E N   D E V I S E
H   T   A   G   A   N   D
  D A Y S   A R R A N G E
K   R   O   R     Y   N
I     E N D O R S E     C
N   B     T   A   S   E
D R O P L E T   T O T E
N   A   E   E   I   R   F
E S T A T E   S A L I N E
S   E   U     T   F   T
S I R   P E R S E V E R E
```

95

```
R A P T O R   S E A R E D
  S   O   I   U   D   G
S T A R   S C R O U N G E
  R   M   K   C   L
D O Z E N   L E T T U C E
  L   N   H   A     U
T A T T O O   S I C K L E
  B     P   E   O   M
T E A C H E R   S Y R I A
  H   L   B   N     N
H A B A N E R A   E D A M
  D   I   S   N   S   T
M O R R I S   G A S K E T
```

96

```
S I A M E S E C A T S   P
H   A   O   G   W H O
A V U N C U L A R   U   S
R     V   E   N     S
P I T C H E R   E A G L E
    O   N   S   U   S
S A F A R I   C I R R U S
O   T   R   I   A
L A S S O   U S E L E S S
D   C   S   S       I
I   O   I N N O C U O U S
E L F   E   R   G   A
R   F E R R I S W H E E L
```

97

```
P I E S   P A S S E R B Y
R   H   L   A   G   I
I N N O C E N T   G A T E
E   R   A   O       T
S K A T E S   N A N T E S
T   L   E           R
  D R Y A D   D E I G N
  I       E   T       A
P O E T I C   S H A R K S
  R   A   T   L       P
C A B S   A I R R I F L E
  M   E   B   O   C   C
S A C R I S T Y   S A L T
```

98

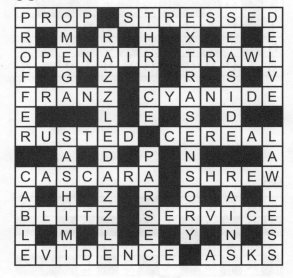

```
P R O P     S T R E S S E D
R   M   R   H   X   E     E
O P E N A I R   T R A W L
F   G   Z   I   R   S     V
F R A N Z   C Y A N I D E
E       L   E   S   D
R U S T E D   C E R E A L
    A   D   P   N       A
C A S C A R A   S H R E W
A   H   Z   R   O     L
B L I T Z   S E R V I C E
L   M   L   E   Y   N   S
E V I D E N C E   A S K S
```

99

```
C H A L E T   L   S     H
  Y   L     C O L L A G E
B E H A V E   K   E     A
  N   E   V I N E G A R
S A M O S A     P     T
U   L   F A T A L     A
F I E F   A   E   E P I C
F     A O R T A   S     H
O     C       R E S A L E
C O N T E S T   X     I
A   O   N   B A R L E Y
T H E R M A L   L     G
E   Y   P   I T C H E S
```

100

```
B R A N D I S H   B A S S
A   B   A   O     A     U
R   R   F   B E A R D E D
S T A R T L E     N     D
    D     R O M A N C E
S I E R R A   V   C     N
I     E   M   I   L     L
T     C   O   D E E P L Y
U N C R O S S     O
A     E   U N D E R G O
T E N A B L E   E   O   D
E   T     D   A   U   D
D O V E   N E U R O S I S
```

Solutions

101

B	Y	L	I	N	E		H		R		R
R		A			A	C	A	D	E	M	I	A
A	I	M		R		R		P		D
C		I	N	S	T	E	P		A	I	D	E
E		N		H		O		R		L
S	L	A	S	H		B	O	O	T	L	E	G
				I		M		N		E
A	S	U	N	D	E	R		M	E	D	I	C
	H		I		A		R		A		O
B	O	W	S		S	T	A	L	L	S		L
	W		T		L		F		H	O	E
T	E	N	E	M	E	N	T			E		U
	R		R		S		S	H	A	R	E	S

102

E	A	R	M	U	F	F	S		D	I	M	S
N		A		L		A		E		C
D		M		N		C	H	A	T	T	E	R
S	U	R	N	A	M	E		R		U
		O			T	O	N	I	G	H	T
S	A	D	I	S	T		V		T		I
I		N		A		E		U		N
L		T		C		R	A	S	H	L	Y
E	N	V	E	L	O	P			O
N		R			I	N	S	U	R	E	R
C	A	R	V	E	U	P		C		D		E
E		A		E		A		E		I
R	E	A	L		G	R	A	N	D	S	O	N

103

B	U	S	Y		C	L	E	A	R	C	U	T
A		L		S		A		T		O		Y
G	A	U	G	I	N	G		O	W	N	E	R
U		N		G		M		C		E
E	N	G	I	N	E	D	R	I	V	E	R
T		L		O		C		I		T
T	I	T		A	L	G	A	E		T	O	R
E		R		N		G		N		U
	C	O	N	G	L	O	M	E	R	A	T	E
A		D		U		R		G		L
M	E	D	I	A		A	F	G	H	A	N	I
E		E		G		S		Y		T		F
N	O	N	S	E	N	S	E		C	E	D	E

104

A	B	D	U	C	T		P		G		F
	R		R		F	O	R	E	V	E	R
B	A	T	T	E	R		S		S		U
	K		D		O	Y	S	T	E	R	S
P	E	R	S	O	N			A		T
R		E		O	R	B	I	T		R
E	A	R	N		E		O		I	D	E	A
C			S	A	L	E	M		O		T
I		E			B	A	N	G	L	E
S	K	I	L	I	F	T		L		O
E		E		A		B	O	A	R	D	S
L	E	I	S	U	R	E		N		G
Y		S		E		D	E	N	I	E	R

105

```
T R O O P S . A . C . B .
I . U . . M O R E O V E R
M A R C . E . S . N . R .
O . S A V A G E . S T A Y
R . V . R . N . . . T .
O C T E T . B A N S H E E
U . A . J . L . P . N .
S P A T I A L . W O R K S
. L . K . C . T . . H .
E A R S . A M A Z O N .
. T . T . R . B . N A Z I
B E L I T T L E . . F . N
. N . R . A . R U F F L E
```

106

```
. D I S P L A C E M E N T
F . N . H . K . X . S . I
O D D L Y . I . P I Q U E
R . I . S U M . E . U . I
K H A K I . B U L L I O N
E . . C . O . . R .
D E S I S T . M A N E G E
. T . . O . S . . C
T E R R I E R . S Y L P H
A . E . N . G O A . O . O
B L E A T . A . U N C L E
O . T . R . N . L . U . D
R E S P O N S E T I M E .
```

107

```
C U B A . B A R R A C K S
O . L . S . R . I . H . E
O P I N I O N . O V O I D
K . N . N . I . D . C . G
I C I N G . C R E V I C E
N . . L . A . J . C .
G O A T E E . L A P E L S
. D . M . K . N . . E
S W A H I L I . E T H I C
U . P . N . S . I . E . R
N O T E D . S U R F A C E
U . O . E . E . O . D . T
P A R A D I S E . L Y R E
```

108

```
T I C K I N G . M . B . M
O . A . D . R E A D I L Y
S E R V I L E . G . P . S
S . R . O . W . M . E . E
E N I G M A . S A N D A L
D . E . C . T . . . F
. C R A S H C O U R S E .
A . . E . A . U . R
C A C T U S . T E M P L E
A . O . S . M . Q . R . C
A . V . U . U K U L E L E
I C E C A P S . I . M . S
A . N . L . E M P R E S S
```

109

```
C S . A . C E R A M I C
L O T U S . U . E . A . R
A . I . P Y R O M A N I A
M U F T I . V . O . G . M
B . F . C H E E R L E S S
E . E . D . S . . K .
R E N A M E . P E N C I L
. A . A . J . . H . E
S T A I R C A S E . A . A
I . T . T . G . L A S E R
T A L K I N G T O . T . N
A . A . N . E . P I E C E
R E S C I N D . E . N . D
```

110

```
S U C C U M B . I D I O T
I . O . N . E . I . . W
R A M . R E A D Y M A D E .
O . R . E . D . N . . E
C R A P S . R . E A S T
C . D . T A L O N S .
O X E N . C . S . S P U R
. . . A R R O Y O . E . E
B E G S . E . F I R E D
L . C . B . F . F . R
I M P E R I O U S . U S E
N . N . O . E . M . S
D A N T E . K I T T E N S
```

111

```
T I M B E R . L A D I E S
O . E . V . O . H . . U
W E L L I N G T O N S . M
I . A . C . L . Y . P . M
N I N E T E E N . H I F I
G . C . I . D . R . N . T
. C H A O S . R E G A L .
A . O . N . U . L . B . B
B I L L . E S P A L I E R
A . I . E . U . X . F . I
C . A D V E R T I S I N G
U . . E . Y . N . D . H
S P R I N G . A G H A S T
```

112

```
U P H E A V A L . T H U S
P . A . D . G . . A . T
B A R C O D E S . . S . A
E . M . P . S U N S P O T
A L L O T . L . E . . E
T . E . S M A L L A R M S
. . S . O . E . E .
A S S A I L A N T . M . B
P . . C . T . A R E T E
L E A T H E R . V . D . H
O . G . N O S E D I V E
M . A . . A . R . E . A
B A R T . G R A N D D A D
```